falter 42

Johannes W. Schneider

Mut zu mir selbst

Alt werden ist nichts
für Feiglinge

Verlag Freies Geistesleben

2. Auflage 2012

Verlag Freies Geistesleben
Landhausstraße 82, 70190 Stuttgart
Internet: www.geistesleben.com

ISBN 978-3-7725-2542-3

Copyright © 2011 Verlag Freies Geistesleben
& Urachhaus GmbH, Stuttgart
Bildredaktion: Evelies Schmidt
Satz & Layout: Thomas Neuerer
Umschlagfoto: iStockphoto (© PeskyMonkey)
Fotos © Blickwinkel: F. Poelking (11, 81), C. Wermter (35), H. Schulz (49),
F. Herrmann (65), C. Blumenstein (97), M. Lohmann (115), L. Koch (127)
Foto von Wilhelm Schneider auf Seite 138: © Annelise Kretschmer
Druck: Freiburger Graphische Betriebe
Printed in Germany

Inhalt

von Norbert Zimmering

Lieber Vater,

während ich diese Zeilen schreibe, blicke ich auf Dein Altersbild, das auf meinem Schreibtisch steht, das dort steht seit Deinem Tod vor fast dreißig Jahren, das mich begleitet hat, als ich selbst alt wurde, und das mir immer sprechender wurde für Dich selbst und für den Menschen im Alter überhaupt. Noch deutlich höre ich Dich, einen rüstigen Anfang-Siebziger, sagen: «Mit siebzig beginnen die besten Jahre.» Als ich dann selbst siebzig Jahre alt wurde, dachte ich: Er hat mal wieder recht gehabt. In den Achtzigerjahren allerdings klang es dann anders: «Es ist gar nicht leicht, Mensch zu sein, vor allem nicht im Alter.» Den strengen Anforderungen des Berufs gerecht zu werden, an solchen Anforderungen hat es Dir wirklich nicht gemangelt, und Mensch zu sein, immer mehr Mensch zu werden, wenn der Leib nicht mehr trägt, das ist nicht leicht. Aber es ist eine Aufgabe, für die noch zu leben sich lohnt. Von dieser nicht leichten, aber lohnenden Aufgabe soll in dem folgenden Buch die Rede sein.

Davon jedoch sprichst Du noch nicht in Deinem Altersbild, sondern von den «besten Jahren». Das Glück der Lebensreife klingt aus Deinem Lächeln. Du lächelst nicht jemanden an, sondern Du lächelst aus Dir heraus, Du lächelst der Welt entgegen, und jeder kann an dem Lächeln teilhaben, der teilhaben möchte. Das Alter wird als Herbst des Lebens bezeichnet. Das wird wohl oft recht oberflächlich verstanden als Abschied vom schönen Sommer. Aber das Wort hat seine Tiefe. Im Sommer scheint die Sonne vom Himmel, hoffentlich. Im goldenen Herbstlaub ist das Sonnenlicht von der Erde verinnerlicht, es zeigt die Lebensreife des Jahres. Die Erde lächelt für jeden, der ihr Lächeln sehen will. Die besten Jahre, ja, weil der Mensch immer weniger zu tun braucht, um überzeugend zu wirken, er braucht nur zu sein, er selbst zu sein. Die Motive seines gelebten Lebens werden zum goldenen Herbstlaub.

Dein Lächeln ist offen und zugleich verhalten, und das ist auch die eigentümliche Haltung der Hand. Indem sie vor der Brust gehalten wird und das Kinn berührt, grenzt sie den Menschen gegenüber der Welt ab, aber das tut sie so behutsam, dass sie fast dazu auffordert, näher zu kommen. Es ist die scheue Offenheit, die zum alten Menschen gehört. Es ist hier, bei dem Bild aus Deinen Siebzigerjahren, eine zarte und gewollte Abgrenzung, die zugleich Offenheit ist. Im höheren Alter, von der Mitte der Neunzigerjahre an, kann der alte Mensch gar nicht anders, als *sich* zu zeigen. Und das ist gern hinzunehmen, wenn auch der andere Mensch ganz offen *sich* zeigt. Aber wie oft verhüllen wir unser Innerstes und finden damit die Stütze in uns selbst? Das kann der sehr alte Mensch nicht mehr. Deshalb braucht er den ungehinderten Atem zwischen Ich und Du. Der Mensch in den Siebzigern lebt noch im Pendel zwischen Zuwendung und Rückbesinnung, er atmet, wie er atmen will. Lächeln und Handhaltung sind eine Einladung zum Gespräch und zugleich ein Abwarten. Das gehört zum Reiz dieser Jahre: die Reife, die verbunden ist mit der Offenheit für Neues.

Der Kopf ist leicht nach vorn geneigt. Er zeigt Deine Besinnlichkeit. Besinnlich sein, das ist nicht nur ein Nachdenken über Gehörtes, Erlebtes. Der besinnliche Mensch löst sich nicht von der Welt rund um ihn herum. Er lässt in sich nachklingen, was geschehen ist und was erlebt wurde. In der Besinnlichkeit lasse ich die Gedanken in mir miteinander ins Gespräch kommen. So ist auch der Blick dem Betrachter des Bildes zugewandt, ohne ihn zu fixieren. Der Blick ist offen und er verinnerlicht, was angeschaut wird. Das Leben wird von Dir noch gelebt und beginnt doch schon, in Dir still zu werden. Was erlebt wurde, gerinnt zum Wesen, zum Sein des Menschen. Es wird verwesentlicht. Beim alten Menschen dürfen wir hoffen, dass er ganz er selbst wird. Wer gelebtes Leben in sich zum Klingen bringt, neigt ein wenig den Kopf. Ein wenig. Denn er lebt noch seine «besten Jahre».

Der alte Mensch und seine Welt

Wenn wir, Ich und Du, uns nahe sind,
so bleibt oft bis ins höchste Alter hinein
die gesunde und intensive Beziehung
zur Welt erhalten.

«Könnt ihr nicht ein bisschen lauter und deutlicher sprechen, man versteht euch so schlecht.» «Opa, wir sprechen ganz normal, aber du wirst allmählich schwerhörig, wie andere Leute in deinem Alter auch.» – «Ach was, ich höre noch ganz gut, aber ihr sprecht undeutlich und schlampig, wie heute so viele Menschen schlampig sind. Wir früher ...» Die Szene wiederholt sich, und schließlich ist Opa bereit, doch einmal zum Ohrenarzt zu gehen. Der verschreibt ein Hörgerät. Das kann unauffällig, ganz unauffällig getragen werden. «Na ja, wenn man damit wieder besser hört, dann ist es gar nicht so schlecht.»

Wird wirklich das Hören nur schwächer? Müssen wir mit alten Menschen einfach lauter sprechen? Wenn das Gehör nur schwächer würde, dann könnten wir ja im Flüsterton einander mitteilen, was Opa nicht hören soll. Und siehe da, nun bekommt er alles genau mit. Warum? Wenn wir flüstern, sprechen wir etwas langsamer und vor allem plastischer, und in diesen sorgfältig gestalteten Sprachfluss kann das Hören besser einsteigen. – Unterstützt wird das Hören auch, wenn wir im Gespräch den alten Menschen anschauen, wenn wir uns innerlich auf ihn einstellen. Deshalb auch versteht der alte Mensch einen vertrauten Menschen besser als einen fremden. Sprache vollzieht sich ja zwischen Ich und Du. Das nachlassende Gehör ist also oft zunächst noch nicht eine Schwäche des Leibes, sondern erst eine nachlassende Hinwendung zur Welt. Wenn ein besonders geliebtes Musikstück erklingt, so hören alte Menschen oft noch sehr intensiv. Auch in hohem Alter, auch kurz vor dem Tode.

Wir hören, wenn die Welt für uns klingt. Als ich nach dem Studium für ein Jahr zu einem Praktikum in einem heilpädagogischen Heim in Schweden war, kam ein vierzehnjähriger Junge zu uns, ein sehr naturverbundener Lappländer. Er war vorher drei Monate lang in einem Heim für Taubstumme gewesen, und die Ärzte dort hatten nicht bemerkt, dass er weder taub noch stumm war. Er hörte nur nicht und sprach nicht. Nun fiel uns auf, dass er gerne zu einem Wasserfall in der Nähe des Heimes ging und dort gurgelte wie das Wasser draußen. Also hörte er doch wohl? Einmal stand ich im Zimmer wenige Meter hinter ihm und nannte, gar nicht laut, seinen Namen. Lächelnd wandte er sich um, und der Bann war gebrochen. Er verstand, was man, ihm innerlich zugewandt, langsam sagte. Und er sprach, nicht nur einzelne Worte, sondern ganze Sätze mit einer allerdings einfachen Grammatik, etwas verwaschen und schwer verständlich, aber er sprach, ohne dass er das jetzt erst lernen musste. Die Beziehung zu einem einzigen Menschen hatte für ihn die Welt zum Klingen gebracht, und so konnte er hören.

Oft wird gesagt, der alte Mensch ziehe sich allmählich von der Welt zurück, bis im Tode die Verbindung ganz aufhöre. Das kann wohl so sein, aber das gilt nicht allgemein. Ebenso kann es sein, dass der sterbende Mensch seinen Leib verlässt, indem er in die Welt verströmt, in den Klang einer Stimme oder in eine Musik, in den Anblick eines Menschen oder einer Landschaft, in einen Händedruck. Wenn wir im Gespräch mit einem alten Menschen sind, wenn wir, Ich und Du, uns nahe sind, so bleibt oft bis ins höchste Alter hinein die gesunde und intensive Beziehung zur Welt erhalten, und der Mensch kann dann, hoffentlich, auch friedlich in die Welt hinein sterben.

Wie man von einer Altersschwäche beim Hören spricht, so auch von einer nachlassenden Sehfähigkeit. Aber während beim Hören die Welt ferner rückt, wird bei der nachlassenden Sehfähigkeit das genaue Erfassen des Nahen beeinträchtigt, zum Beispiel der Buchstaben beim Lesen. Es ist zwar unangenehm, wenn man durch die Jahrzehnte nie eine Brille getragen hat, sich an diese künstlichere Beziehung zur Welt zu gewöhnen. Aber ihre Brille können die meisten Menschen ungenierter zeigen als ihr Hörgerät.

Bei einer Beratung schilderte mir eine Frau, die in jungen Jahren durch eine Explosion augenblicklich völlig taub geworden war, sie sei am meisten dadurch belastet, dass ihr die Welt nun gespenstisch erscheine. Sie sieht ein Auto fahren, hört es aber nicht, das fahrende Auto wird fast zu einem Scheingebilde. Taube und auch schon schwerhörige Menschen brauchen daher eine besonders intensive Realitätserfahrung auf allen Lebensgebieten, vor allem in der zwischenmenschlichen Beziehung, vielleicht auch in der künstlerischen Tätigkeit des Plastizierens, die sie nun lernen, in der Freude am Essen und so weiter. Wer erblindet, leidet weniger darunter, dass ihm die Welt irreal wird; er leidet eher unter einer fehlenden Distanz zur Welt. Dass wir uns selbst als räumlichen Mittelpunkt in einem weiten Umkreis erleben, dass wir die Dinge, die auf uns zukommen, schon in der Ferne wahrnehmen, dass wir uns auf deren allmähliches Näherkommen einstellen können, das verdanken wir vor allem dem Gesichtssinn. Wir leben im Atem zwischen uns und der Welt, zwischen dem Ruhen in uns selbst und dem Mitschwingen mit der Welt. Immer wieder habe ich es als angenehm empfunden, wie Thailänder einander begrüßen: indem sie den Kopf leicht nach vorn neigen, die Hände vor dem Gesicht zusammenlegen und dabei freundlich lächeln. Ich fühle mich von meinem Gegenüber wahrgenommen und bleibe doch ganz in mir. Das ist viel zarter als das Händeschütteln bei der Begrüßung. Das verhaltene Mitschwingen mit der Welt ist wie ein Grundmotiv für die optische Beziehung zur Welt – und für die Hilfe, die der Mensch braucht, wenn die Sehfähigkeit nachlässt.

Was im Alter nachlässt, ist nicht nur die Kraft, die Intensität der einzelnen Sinneswahrnehmung, sondern auch die Verbindung der einzelnen Sinnesgebiete zu einem Bild von der Welt. Auf dieser Verbindung beruht unser Wachbewusstsein. Ich sitze, übermüdet, in einem langweiligen Vortrag. Anfangs folge ich noch beständig, aber ohne Interesse der Darstellung, dann steigt mein Mit-Denken nicht mehr in das Gehörte ein. Ich höre wohl, aber ich lokalisiere nicht mehr das Geräusch beim Redner. Das Gehör löst sich vom Raum-Erleben. Und wenn auch noch die Beziehung zum Körpergefühl gelockert wird, dann sehen alle Anwesenden an meinem nach vorn nickenden Kopf, dass ich einschlafe. Bis ein Wort des Redners, etwa der Name meiner Geburtsstadt, plötzlich wieder als Reiz wirkt. Was hat er über meinen Geburtsort gesagt? Etwas Negatives? Wohl nicht, also schlafe ich wieder ein.

Wir können nur wach sein, wenn wir die Eindrücke aus mehreren Sinnesgebieten miteinander zum Bild der Welt verbinden. Von besonderer Bedeutung ist dabei die Verbindung des Sehens oder Hörens mit dem Gleichgewichtserleben. Dass ich

einen Gegenstand über oder unter meiner Augen-
höhe, rechts oder links erlebe, ist die Voraussetzung
dafür, dass mir die Welt im Bild, also objektiv da
draußen, in einer gewissen Distanz erscheint. Wer
es manchmal schwer hat mit dem Einschlafen,
kennt vielleicht die Grenzerfahrung: Nicht mehr
ich bestimme die Verknüpfung der einzelnen Ge-
dankeninhalte, sondern der Ablauf verselbstständ-
digt sich. Nun weiß ich, dass es schlafwärts geht.
In der starken Ermüdung wird die Verknüpfung
der einzelnen Sinneseindrücke verunsichert. Andere wundern sich dann über meine «Tollpatschig-
keit», die genaue Selbstbeobachtung aber zeigt eine
Lösung des Ich aus der Verbindung der einzelnen
Sinnesgebiete. Die verknüpfen sich dann selbst, oft
nicht «richtig», nicht mehr sinnvoll auf ein Ziel
hin orientiert.

Beim alten Menschen ist oft besonders der Zugriff auf die Gleichgewichtseindrücke gestört. Er
verliert das Gleichgewicht, nicht weil ein Hinder-
nis im Wege steht, sondern weil das Ich nicht mehr
selbstverständlich durch die eigene Haltung und
Bewegung hindurch in den Raum hineingreifen
kann. Wie das Kind im ersten und zweiten Lebens-

jahr oft schon recht gut ausgebildete Bewegungen hat, diese aber noch nicht sicher in den Raum eingliedern kann, so ist beim alten Menschen oft nicht der Bewegungsfluss, sondern dessen Eingliederung in den Raum gestört. Der Stock, die Krücke, der Rollator können hier hilfreich sein; vielleicht ist es auch einmal notwendig, den wankenden alten Menschen zu stützen, das Gleichgewicht jedoch kann der Mensch nur selbst herstellen im aktiven Zugehen auf die räumliche Umwelt.

Wenn davon gesprochen wird, das Kind lerne Schritt für Schritt sich mit seinem Leib zu verbinden, sich zu «inkarnieren», so wird die Bedeutung der Welt oft nicht genügend gesehen. Nicht der Leib, sondern die Welt lockt das Kind in das Leben hinein. Das Kind «inkarniert» sich in die Welt hinein, nicht nur in den Leib. Der alte Mensch löst sich oft noch gar nicht vom Leib, sondern erst aus der Welt. Vielleicht sogar verkrampft er sich in den Leib, erstarrt im Leib, verliert aber das Interesse für die Welt, das Heimatgefühl in ihr. Im Alter kommt es darauf an, die Harmonie mit der Welt zu bewahren, auch wenn der Leib das erschwert.

Nicht nur die Sinneswahrnehmungen werden

im Alter schwächer, sondern auch die Bewegung. Allein schon deshalb, weil die Körperkräfte nachlassen. Das ist für den älter werdenden Menschen vielleicht nicht leicht anzuerkennen. Wer früher gern gewandert ist, muss sich daran gewöhnen, seine Ziele im näheren Umkreis zu suchen, beim Wandern schon früher und öfter eine Pause einzulegen. Es fällt schwer, Gepäck zu heben und zu tragen. Viele Menschen würden den Arbeitstag noch gut durchhalten, wenn er etwas kürzer wäre, vielleicht sechs Stunden, oder wenn es zwei kurze Pausen zwischendurch gäbe. Aber darauf, so meint man oft, kann doch wohl ein Industriebetrieb keine Rücksicht nehmen. Also sollen die Alten aufhören zu arbeiten.

Früher bin ich im Urlaub gern geschwommen, nicht mit sportlichem Tempo, sondern ganz gemächlich. Als Siebzigjähriger noch eine Stunde lang nonstop. Mit achtzig Jahren konnte ich überhaupt nicht mehr schwimmen, hatte aber nach wie vor meine Freude am Baden. Eine Bekannte nannte das Pool-Walking. Das klingt doch gut, und so kann man auf das richtige Schwimmen eher verzichten. – Viele Menschen haben es nun schwer mit dem gewohnten Gang durch die Stadt. Man muss Pausen einlegen, kann sich das aber nicht eingestehen. Also bleibt man vor jedem dritten Schaufenster stehen. Man muss sich ja orientieren über die heutigen Angebote: Uhren, Füllfederhalter, Pralinen ... Wie gut, dass es solche Auslagen gibt für die Menschen mit der «Schaufensterkrankheit».

Charakteristischer für die Bewegungsprobleme im Alter ist es, dass die einzelnen Handlungsabläufe nicht mehr fließend ineinander übergehen und dass kaum noch mehrere Handlungen gleichzeitig ausgeführt werden. Es klopft an der Tür. Opa steht auf, findet allmählich das Gleichgewicht im Stehen, wendet sich nach rechts, geht Schritt um Schritt auf die Tür zu, bleibt stehen, greift mit der Hand nach der Türklinke – während der Jugendliche sich schon im Aufstehen nach rechts wendet und, noch ehe er ganz senkrecht steht, den ersten Schritt setzt und im Gehen schon die Hand Richtung Türklinke ausstreckt, dabei sein Gespräch fortsetzt und gleichzeitig mit der Bernsteinkette in seiner linken Hand spielt. Viele Jugendliche gleiten mühelos durch die irdische Welt hindurch. Was die Härte und die Schwere der Erde sind, kann der Mensch oft erst in höherem Alter durchkosten. Und aus diesen Erfahrungen kann der Mensch viel mitbringen, wenn er souverän wird und bleibt. Voraussetzung dafür ist unter anderem, dass der alte Mensch nicht gehetzt wird, sondern das ihm gemäße Handlungstempo einhalten darf. Dann aber wird die Grundlage für die Altersweisheit gelegt.

In der Psychologie des Alters wie auch in der praktischen Betreuung alter Menschen wird oft sorgfältig beachtet, welche Bewegungsformen noch sicher ausgeführt werden können. Mit Recht, denn diese Sicherheit beeinflusst das Selbstverständnis des alten Menschen. Dass man die Einkaufstasche mit den Kartoffeln nicht mehr vom Geschäft nach Hause tragen kann, sondern dass der Nachbarjunge das tut, ist ja ganz in Ordnung. Der bekommt auch etwas Geld dafür. Und außerdem: Wir haben als Kinder früher auch einmal alten Menschen geholfen. Dass man die Fenster nicht mehr putzen kann – na ja, im Alter darf man es sich wohl leisten, jemanden für das Putzen zu bezahlen. Dass man die Schnürsenkel an den Schuhen nicht mehr zubinden kann, kommt glücklicherweise genau in dem Augenblick, in dem die schnürsenkellosen

Schuhe (angeblich) in Mode kommen. Und man möchte schließlich auch im Alter mit der Mode gehen. Und als es beim Essen schwer wird, das Schnitzel zu schneiden, entdeckt man, wie gut das Gulasch aus der Konserve schmeckt ... Erst wenn der Mensch sich nicht mehr selbst versorgen kann, wenn er sich nicht mehr waschen und ankleiden, wenn er nicht mehr allein zur Toilette gehen kann, dann ist die Krise im Selbstverständnis nicht mehr zu übersehen.

Diese Krise kann hinausgezögert werden, wenn man dem alten Menschen zeigt, was er doch alles noch kann. Dann darf er sich allerdings nicht mit Menschen im rüstigen Alter vergleichen, sondern nur mit seinen Altersgenossen. Man geht zum Altentanz, zum Altensport, zum Altenschwimmen, zum Altenwandern. Es geht doch noch ganz gut. Noch. So positiv diese Erfahrungen für den Augenblick wirken können, sie bauen das Selbstverständnis nicht auf einen stabilen Grund. Auch die bereits verminderten Körperkräfte und das bereits verminderte Geschick werden noch weiter schwinden. Was sicherer bleibt, ist die Erinnerung an das gelebte Leben.

Nicht nur die Sinneswahrnehmung und die Bewegung werden im Alter schlechter, sondern doch wohl auch das Gedächtnis. Gestern hat der Enkel beim Abschied dem Opa gesagt, dass er nun zum Reisebüro gehe und seinen Urlaub in Griechenland buchen will. Heute erzählt er ihm, dass es mit der Buchung geklappt hat, mit Flug und mit Ferienhaus. «Was, nach Griechenland willst du fahren? Hast du mir ja noch gar nicht erzählt!» Und das passiert bei dem Lieblingsenkel. Solche «Vergesslichkeit» ist kein Einzelfall. Sie kommt immer wieder vor. Nicht nur bei nebensächlichen Dingen, sondern auch bei wichtigen Ereignissen im Leben nahestehender Menschen. Aber ist denn wirklich die Erzählung von gestern vergessen? Oder ist sie gar nicht wirklich eingeprägt worden? Dann nämlich kann sie auch nicht erinnert werden.

Andererseits: Alte Menschen können sich oft an Ereignisse aus ihrer Kindheit erstaunlich genau und zuverlässig erinnern. Welche Kleidung ich an meinem dritten Geburtstag getragen habe, weiß ich noch genau, und ich meine auch zu wissen, warum sich gerade dieses Bild so stark eingeprägt hat. Denn ich war nicht ganz fertig angekleidet, als es klingelte. Hoffentlich werden die Gäste, da ich nicht gleich die Tür öffnen kann, nicht wieder nach Hause gehen, und der Geburtstag wird ausfallen – aber halb angekleidet kann ich ja auch nicht die Tür öffnen. Wenn ein Bild mit einer Emotion verbunden ist, die das Ich bestätigt oder infrage stellt, so prägt es sich besonders tief und stabil ein. Obwohl das Bild, in diesem Fall der Kleidung, ja gar nicht wichtig war und obwohl ich heute leicht auf dieses Bild verzichten könnte.

Wenn über das Gedächtnis bei alten Menschen gesprochen wird, unterscheidet man das Kurzzeitgedächtnis – die Erinnerung an kürzlich Geschehenes –, das schwächer wird, und das Langzeitgedächtnis – die Erinnerung an lange Zurückliegendes –, das oft erstaunlich gut ist. Das stimmt. Dass kürzlich Geschehenes schwerer eingeprägt wird, liegt aber nicht daran, dass die frühen Eindrücke im Gedächtnisspeicher noch bequem Platz hatten, während die späten Eindrücke sich schon quetschen müssten, um noch hineinzupassen. Das Gedächtnis ist kein Speicher, und es hat keine Platzprobleme. Sondern der Mensch prägt sich am besten ein, was ihn persönlich am meisten berührt, womit er sich identifizieren kann. Ein Arzt erzählte mir vor Jahren von seinem Besuch bei einer Patientin, einer herrschsüchtigen alten Dame. Um sich ein Bild von deren seelischem Zustand zu machen, fragte der Arzt sie nach ihrem Geburtsdatum. Ach, das falle ihr im Augenblick leider nicht ein. Und Kaisers Geburtstag? Da kam prompt die Antwort: 27. Januar. Als Mädchen hatte sie sich ja als gute Deutsche gefühlt, und das kam bei Kaisers Geburtstag zur Geltung.

Oder etwas poetischer: Selma Lagerlöf schildert anschaulich die alljährliche Geburtstagsfeier ihres Vaters am 17. August. Da kamen viele Menschen zusammen und fühlten sich so recht als Värmländer. Der gesellige und leichtlebige Jubilar war der geeignete Identifikationspunkt für sie alle. Jahrzehnte später sind bei der Dichterin die Erinnerungen noch so lebhaft, so real, dass man sogar als Leser meint, dabei gewesen zu sein. Der 17. August, das war die Dichterin selbst in jungen Jahren. Deshalb die genaue Erinnerung, nicht weil der Gedächtnisspeicher damals noch reichlich Platz hatte. Selbstverständlich gibt es auch im Alter Erlebnisse, die den Menschen in der Tiefe berühren und wandeln und die zu einem Zentrum der Lebenserinnerung werden: vielleicht der Tod des Lebenspartners ...

Kann der Mensch sein Selbstverständnis nicht mehr auf die berufliche Leistung stützen, so braucht er eine neue Stütze: Ich kann noch wandern, noch tanzen, noch schwimmen, noch ... noch ... Wenn all das von Jahr zu Jahr schwächer wird, so bleibt die Erinnerung an das gelebte Leben. Ich bin, der das und das erlebt hat. Die jungen Leute heute wissen ja gar nicht, wie das alles war, aber wir Alten wissen es. Wir waren dabei. Vielleicht wird dann von den guten alten Zeiten geträumt, die gar nicht so gut waren, als man in ihnen lebte. Aber wie dem auch sei, in der Erinnerung findet das Seelenleben einen neuen Mittelpunkt. Ich identifiziere mich mit dem, der all das erlebt hat. Deshalb erzählen viele Alte so gern von den alten Zeiten. Denn da erzählen sie nicht von etwas, sondern von sich. Ich bin, denn ich habe all das erlebt. Wenn bei diesen Erzählungen die gleichen Geschichten wieder und immer wieder vorkommen, stört das vielleicht manche Zuhörer, aber wohl kaum den Erzähler. Denn Erinnerung ist im Alter nicht die Mitteilung von etwas, sondern sie ist Selbstbestätigung, und die braucht der Mensch wiederholt. – Auch das Kind vor dem sechsten Jahr mag immer wieder das gleiche Märchen wortgetreu hören, wenn es gut erzählt wird, an zehn, an zwanzig Tagen nacheinander. Wenn das Vertraute wiederkehrt, ist das eine Bestätigung, eine Stärkung des Ich. Und darum geht es beim kleinen Kind wie auch beim alten Menschen.

Es ist erstaunlich, wie genau die einzelnen Bilder oft geschildert werden, wenn Oma oder Opa aus den alten Zeiten erzählen. Es darf doch nicht vergessen werden, dass am ersten Schultag der Lehrer, als er uns Kinder begrüßte, niesen musste und das Taschentuch aus der rechten Hosentasche zog. Zeugenaussagen von kleinen Kindern sind oft erstaunlich gut, wenn man sie nicht, isoliert, nach Einzelheiten fragt, sondern die Handlung als Ganze erzählen lässt. Und entsprechend taucht der alte Mensch in den Strom einer Handlung ein, wenn er von damals erzählt. Dabei möchte er nicht unterbrochen werden, vor allem nicht um eine Abkürzung der Erzählung gebeten werden. Denn das Ich des Erzählers lebt in der Ganzheit der Erzählung, in dem Strom des gelebten Lebens, von dem er berichtet.

Wenn der Mensch sein Selbstverständnis nicht auf die Leistung stützen kann, die er für die Welt erbringt, ist er in hohem Maße auf die Zuwendung anderer Menschen angewiesen. Das gilt für die frühe Kindheit wie auch für das Alter und für manche Krisenzeiten im Laufe des Lebens. Dieser einfache und naheliegende Gedanke ist lange Zeit wenig beachtet worden. Zwar hat man bemerkt, dass elternlose Kinder oft früh sterben. Gott habe sie wohl wieder zu sich genommen, weil sie ein trauriges Leben vor sich gehabt hätten. Aber weshalb hat er sie dann überhaupt geschaffen? Als die Biologie überzeugender wurde als die Theologie, sagte man, diese Kinder hätten wohl aus ihrer Vererbung ungünstige Lebensbedingungen mitgebracht. Bis, erst in der Mitte des 20. Jahrhunderts, sich die Einsicht durchsetzte, dass eine gute körperliche Konstitution allein noch nicht eine gesunde Entwicklung eröffne. Bahnbrechend hat hier die Untersuchung des amerikanischen Arztes und Psychologen René A. Spitz *Vom Säugling zum Kleinkind* gewirkt, der die Entwicklung von Kindern in einem Waisenhaus und in einem Frauengefängnis vergleichen konnte. An beiden Stellen waren die Bedingungen für die Entwicklung der Kinder selbstverständlich ungünstig. Doch die Kinder im Frauengefängnis hatten zwar eine oft problematische, aber jedenfalls ganz persönliche Beziehung zu ihrer Mutter. Alle überlebten die ersten zwei Jahre, während im Waisenhaus trotz fachlich guter Versorgung und Betreuung mehr als ein Drittel der Kinder während der ersten zwei Lebensjahre starben. Denn die Kinderschwestern hatten zu viele Kinder zu betreuen, um immer eine persönliche Beziehung entwickeln zu können. Die persönliche, liebevolle Beziehung aber ist die Voraussetzung dafür, dass das Kind die Initiative entwickelt, seinen Leib zu ergreifen, die Welt wahrzunehmen und sich zu bewegen. Das Ich entsteht also nicht aus gelingenden körperlich-seelischen Entwicklungsschritten, sondern umgekehrt: Erst wenn das Ich aktiv wird, gelingen Sinneswahrnehmung und Bewegung. Einfacher gesagt: Wenn die Mutter sich dem Kind zuwendet, steigert sich das gemächliche Strampeln zu einem freudigen Bewegungsstrom.

Wenn die persönliche Ansprache fehlt, kommt es zu Entwicklungsstörungen beim Kind und schließlich zu einer Krankheit, dem Hospitalismus, also zu der «durch das Krankenhaus entstandenen Krankheit». Eine Bezeichnung, die den engagierten Ärzten und Krankenschwestern nicht gerecht wird und die auch den Blick vom Wesentlichen ablenkt. Denn «Hospitalismus» kann auch zu Hause auftreten, wenn das Kind versorgt, aber nicht geliebt wird. Beim «Hospitalismus» können drei typische Stadien beobachtet werden. Zunächst wird das Kind lustlos, es hat keinen Appetit mehr, es spielt nicht mehr. Und es klammert sich an, wenn man es auf den Arm nimmt, oder auch an die Gitterstäbe seines Bettes. Wenn die Erkrankung fortschreitet, werden die Bewegungen mechanisch: Das Kind wirft seinen Körper ruckartig vor und zurück oder es schlägt mit dem Kopf an Gegenständen an, zehnmal, dreißigmal, fünfzigmal. So hart, dass man den Aufschlag auch im Stockwerk darunter deutlich hört. Tut das nicht weh? Doch. Aber im Schmerz erlebt das Kind wenigstens, dass es noch lebt. Das Kind kratzt sich blutig oder reißt sich ganze Haarbüschel aus. Das dritte und letzte Stadium des Hospitalismus ist die völlige Apathie. Das Kind ist nicht mehr ansprechbar, es schluckt nicht mehr, wenn man es füttern will, es bewegt sich nicht mehr – und stirbt. Es stirbt, weil es nicht in das Erdenleben hinein geliebt wird.

Es ist offenkundig, dass diese drei Schritte auch in der Altersvereinsamung auftreten. Die beginnt mit Initiativlosigkeit und Lustlosigkeit. Der alte Mensch langweilt sich, tut aber auch nichts, um neue Anregungen zu bekommen. Er klammert sich an. Tochter und Schwiegersohn haben sich eben bei Oma im Altersheim verabschiedet, um morgen endlich einmal zu zwei Urlaubswochen nach Teneriffa zu fliegen. Zwei Stunden später kommt der Anruf, dass Oma nach einem Herzanfall, einem echten Herzanfall, in die Klinik gebracht wurde. Obwohl Oma ihrer Tochter ehrlich versichert hatte, sie freue sich, dass die Tochter nun endlich einmal ausspannen könne. – Im zweiten Stadium des Hospitalismus hatte sich das Kind zerstörend gegen den eigenen Leib gewandt. Das ist auch beim vereinsamten alten Menschen zu beobachten. Blutig gekratzte Beine sind leider keine Seltenheit. Im Alter wendet sich die Zerstörung aber auch nach außen. Wenn die Altenheimküche kritisiert wird, wenn der Altenpfleger verdächtigt wird, etwas gestohlen zu haben, kann das so gemein vorgebracht werden, dass die menschliche Beziehung nun vergiftet ist. Und die Altersvereinsamung kann schließlich in die Apathie übergehen. Der Mensch interessiert sich nicht mehr für das, was um ihn herum vorgeht, nicht einmal für das, was mit dem eigenen Leib geschieht. Er verweigert die Nahrungsaufnahme, er starrt mit einem leeren Blick in die leere Welt.

Die Apathie als Krankheitssymptom darf nicht verwechselt werden mit dem normalen und gesunden Bedürfnis des alten Menschen nach Ruhe. Er möchte vielleicht stundenlang nur im Sessel sitzen, nur ruhen. Und nicht selten möchte der Mensch am Tage vor dem Tode nichts mehr essen. Es gehört etwas Feingefühl dazu, dieses Bedürfnis nach Ruhe zu unterscheiden von der Leere, die eine Folge der Vereinsamung ist.

Alte Menschen und Kinder

**Die Ältesten und die Jüngsten,
die sind ein gutes Gespann.**

Es klingelt. Als ich die Wohnungstür öffne, stehen da zwanzig Kinder mit ihrer Kindergärtnerin und mit ihrem Kindergärtner und möchten mir ein Ständchen bringen. Dass die Kinder aus dem Kindergarten nebenan zu einem Jubiläumsgeburtstag gratulieren, das kennen wir schon in unseren Altenwohnungen. Heute aber hat niemand Geburtstag, es ist Martinstag. Und es ist so nett, dass die Kinder nicht nur unter sich feiern, sondern andere teilhaben lassen. Denn geteilte Freude ist mindestens doppelte Freude.

Was eigentlich mögen wir Alten an den Kindern in den ersten Lebensjahren so gern? Sie bringen eine Abwechslung in unser Leben. Aber das allein ist es nicht. Wenn ein alter Mensch mit seinen eigenen Kindern, die inzwischen auch schon über die Lebensmitte hinaus sind, zusammensitzt, dann schwingt oft eine Erinnerung mit: Jetzt wirkst du sicher, aber ich weiß noch, wie dir dies und jenes einmal schwerfiel und wie ich es dir damals gezeigt habe. Und umgekehrt: Jetzt seid ihr, meine Eltern, ganz friedlich, aber früher habt ihr uns mit eurer Ungeduld manchmal recht genervt. In der Begegnung mit den eigenen Kindern und mit deren Altersgenossen wird den Alten oft ein Spiegel vorgehalten: So wart ihr. Das muss der Mensch aushalten, denn das gehört zu seinem Selbstverständnis im Alter. Wie ich früher gewesen bin, das fragen die kleinen Kinder mich nicht. Wahrscheinlich waren wir immer Oma und Opa.

Vor einem Vortrag war ich bei einer Dame zum Abendessen eingeladen, die gerade ihre Enkelin, ein cleveres dreijähriges Mädchen, zu Besuch hatte. Das Kind, das die Oma über den Tisch hinweg anschaut, denkt offenbar über irgendetwas nach. Und schon kommt es: «Oma, bist du nun ein Junge oder ein Mädchen?» Und das war nicht so eine kurzhaarige Bluejeans-Oma, sondern eine richtige mit langem Faltenkleid, mit einer altmodischen Brosche und allen gewohnten Oma-Merkmalen. Das Kind hatte wohl gelernt, dass alle Menschen Mädchen oder Jungen sind. Bei Papa und Mama war das klar. Aber Oma? Die ist einfach lieb. Ist das nun Junge oder Mädchen? Oma konnte ihr Enkelkind gut verstehen und erklärte lächelnd, sie sei ein Mädchen. Gut. Die Welt stimmte also wieder.

Die kleinen Kinder sehen uns Alte nicht, wie wir im Leben gewesen sind, sie sehen nur, wer wir heute sind. Etwas beschönigt allerdings, weil die Kinder uns gern mögen. Und das hilft uns, der zu werden, den die Kinder sehen. – Ein chinesischer Arzt schaut sich die europäischen Arztpraxen und Kliniken einmal aus der Nähe an. Und er schüttelt den Kopf. «Weshalb gebt ihr den alten Menschen so viel Medizin? Wir machen das einfacher, wir schicken die Enkel zu den Großeltern.» Diese «Enkeltherapie» ist freundlicher und billiger – in der richtigen Dosierung selbstverständlich.

Und wie wirken Oma und Opa auf das Kind vor dem Schulalter? Die Eltern neigen oft dazu, in ihren Kindern diejenigen zu sehen, die sie künftig einmal sein werden. Erziehen heißt, die Kinder auf die Anforderungen des Lebens vorzubereiten. «Ist mal etwas nicht ganz gelungen, schluck' die Enttäuschung herunter. Nicht aufgeben, wenn du vorwärtskommen willst.» Vielleicht aber gibt es eine Oma, die Zeit für das Kind hat, die nicht gleich fragt, woher die Träne im Auge kommt. Bei ihr kann man sich einfach ans Knie lehnen. «Naaaaa ...» Und wenn das Naaaa lange genug gedauert hat, dann kann das Kind nicht nur *etwas* erzählen, sondern es kann *sich* aussprechen. Das wäre die «Oma-Therapie», die freundlicher und billiger ist als die professionelle Erziehungsberatung. Ja, Oma und Opa sind nicht nur dazu da, um ihre Rente aufzuzehren, sondern sie haben wichtige Aufgaben. Sie können kleinen Kindern dabei helfen, nicht nur diejenigen zu sein, die sie einmal werden sollen, sondern auch diejenigen, die sie jetzt sind. Und davon ist in der heutigen Erziehungsplanung viel zu wenig die Rede.

Die Jüngsten und die Ältesten, die sind ein gutes Gespann. Die ihren Platz im Leben noch nicht gefunden haben und die schon über ihn hinauswachsen, sie haben sich etwas zu sagen. Nicht so sehr über die Welt da draußen, aber über sich selbst. Und darüber spricht man leise. Deshalb ist es wichtig, dass Großeltern und Enkel eine Zeit lang miteinander allein sein dürfen, ohne die Eltern. Erst dann blüht richtig auf, was sie einander zu geben haben.

Gar nicht so selten wächst heute ein Kind bei der

Großmutter auf, weil die Mutter gestorben ist oder weil sie voll berufstätig ist oder weil sie einen neuen Partner hat, der das Kind ablehnt. Dann kommen auf die Großeltern Aufgaben zu, die eigentlich in die Hand von Eltern gehören. Umso wichtiger ist es, dass die Mutter ihren Platz im Leben des Kindes behält, auch wenn nicht oft über dieses Thema gesprochen wird. Ein Mädchen, das vom ersten Lebensjahr an bei der Großmutter lebt, sagt uns das deutlich. Sie spricht von ihrer Mama, die sie nur selten sieht, und von ihrer Mutti. Niemand hat dem Kind nahegelegt, die Worte so zu verwenden, aber es zeigt uns, wie es die nächststehenden Menschen erlebt.

Und wenn nun Mutter oder Vater gestorben sind und wenn dann ein neuer Partner oder eine neue Partnerin auftauchen – wer ist dann die richtige Mutter oder der richtige Vater? Die Lebenden oder die Toten? Es ist erstaunlich, wie selbstverständlich manche Kinder diese Frage beantworten: Ich habe eine Mutter im Himmel und eine Mutter auf der Erde. Bei der einen Mutter sitze ich gerne auf dem Schoß, bei der anderen Mutter bin ich nachts, wenn ich schlafe. Das stört sich doch nicht, oder? Dann habe ich auch ein drittes Großelternpaar, das etwas vom Glanz der Mutter im Himmel mitbekommt.

Oft ändert sich, wenn die Kinder ins Jugendalter kommen, die Beziehung zu den Eltern. Denn viele Jugendliche brauchen dann die Reibung an den Erwachsenen, um sich selbst zu finden. Viele Jugendliche, vielleicht die meisten, aber nicht alle. Dass der Konflikt gesucht wird, liegt vielleicht nicht nur an den Jugendlichen, sondern auch an den Erwachsenen. Jugendliche suchen nicht Anweisungen für ihr eigenes Leben, aber sie suchen Orientierung. Zum Beispiel bei den Großeltern, die im Alter nicht erstarren, sondern gelassen und souverän werden. Die aus eigener Lebenserfahrung wissen, dass man aus begangenen Fehlern lernen kann, und die diese Möglichkeit auch den heute Jüngeren zugestehen. Da haben die Großeltern einen wichtigen Vorteil gegenüber den Eltern. Die Zeit ihrer eigenen Jugendprobleme liegt viel weiter zurück. Nicht nur der äußere, sondern auch der innere Abstand zu damals ist größer.

Orientierung an Älteren kann nicht aufgedrängt, aber sie kann gesucht werden. Es will im Alter gelernt sein, nicht zu sprechen, wenn man etwas zu sagen hat, sondern erst wenn man gefragt wird. Und das ist leichter, wenn der Jugendliche den älteren Menschen aufsucht. Dann beginnt er durch das Besuchen schon zu suchen, zu fragen. Über ein paar mitgebrachte Blümchen wird sich der Ältere sicher freuen. – Als ich, achtzigjährig, von meinen letzten jungen Menschen in der Ausbildung mit einer Rose verabschiedet wurde, stand diese Blüte zwei Wochen später noch in der Vase auf dem Tisch. Es war ja auch nicht irgendeine Rose. Es war die Abschiedsrose. Und sie kam von Studierenden, mit denen ich mich gut verstanden hatte. – Sicher wird ein Blumenstrauß auch Opa guttun, wenn wir ihn besuchen.

Nun gibt es allerdings ein Problem im Gespräch zwischen Alten und Jugendlichen, das in dieser Art heute neu ist. In kleinen Kindern begegnen die Alten einer Seelenverfassung, von der sie sich vor langer Zeit gelöst haben, die ihnen, in anderer Art, heute aber wieder näher rückt. Alte werden den Kindern wieder ähnlicher, sagt man. Die Großeltern oder Urgroßeltern haben in den Enkeln oder Urenkeln vor sich, wie sie selbst einmal waren. Doch was die Jugendlichen heute durchleben, das gab es früher nicht. Bereits die Beziehung zu den Wissensinhalten ist sehr verschieden, wenn man diese Wissensinhalte aus Büchern allmählich aufbaut oder wenn man sie durch den Computer, mit dem Opa vielleicht gar nicht umgehen kann, abruft. Wie nahe gerückt sind für die heutigen Jugendlichen die Menschen aus anderen Kulturkreisen oder Religionen, die uns früher ferne standen. Wie überschaubar ist die Erde geworden. Das ist eine Entwicklung im Laufe von einigen Jahrzehnten, die nicht vorauszuahnen und auch nicht von allen mitzuvollziehen war. Und wie tief greifend hat sich während dieser Jahrzehnte die Beziehung zwischen den Geschlechtern verändert. Der alte Mensch von heute kann in dem Jugendlichen von heute nicht denjenigen wiedererkennen, der er selbst einmal war.

Trotz dieser Andersartigkeit brauchen sie einander nicht fremd zu sein. Was die Jugendlichen in den Großeltern suchen, ist nicht ein Vorbild für das eigene Leben, sondern Verständnis und Toleranz. Aufmerksame alte Menschen verstehen, dass sie den Jugendlichen von heute nicht mehr sagen können, wo der Weg ins Leben entlanggeht, wie das in einer traditionsgebundenen Kultur, also bis zum Beginn des 20. Jahrhunderts, durchaus noch der Fall war, in manchen Ländern sogar noch Jahrzehnte länger. Wenn die alten Menschen sich nicht mehr als Wegweiser in die Zukunft verstehen, wird die Beziehung zwischen beiden verändert und verinnerlicht. Jean Améry hat einmal eine feine Beobachtung am Zeiterleben des alten und des jungen Menschen geschildert: «Der junge Mensch sagt von sich, er habe Zeit vor sich. Aber was wirklich vor ihm liegt, ist die Welt, die er in sich aufnimmt und von der er zugleich sich markieren lässt. Der Alte, heißt es, habe Leben hinter sich, doch dieses Leben, das ja nicht mehr realiter gelebt wird, ist nichts als aufgesammelte Zeit, gelebte, abgelebte. Je weniger Zeit wir vor uns zu haben glauben, da unser Körper und die Statistik es uns so enthehlen, desto mehr Zeit ist *in* uns.»[*]

Was vor dem Jugendlichen liegt, so könnte man fortsetzen, ist noch Welt, ist noch nicht Zeit, weil es noch nicht gelebt wird. Es ist Welt, aber nicht eine gewordene, eine festgelegte Welt da draußen,

[*] Jean Améry, *Über das Altern*. Stuttgart: Klett-Cotta, 1987, S. 28.

sondern eine werdende Welt, die auf uns zukommt. Was im Werden ist, das ist auf der Suche nach einem Ziel. Jugendliche sind auf der Suche nach uns, aber nicht nach unseren Lebensregeln, sondern sie wollen uns als Wanderer auf dem Wege erleben. Auf dem Wege, den auch die Jugendlichen gehen, nur dass sie einige Schritte mehr vor sich haben als wir. Während Kinder dazu neigen, uns zu idealisieren, möchte der Jugendliche an uns erleben, dass wir uns im Laufe des Lebens gewandelt haben und bis heute noch wandeln. Daher das Interesse des Jugendlichen an Biografien. Man möchte nicht nur große Leistungen bewundern, sondern miterleben, wie der Mensch zu diesen Leistungen kam. Dieser Weg ist es ja, der vor dem Jugendlichen liegt. Und das möchte er an uns erleben, wie wir unseren Weg gegangen sind und wie wir uns dabei gefühlt haben. Unser Weg war, hoffentlich, individuell und nicht wiederholbar. Und eben dadurch ist er für die Jugendlichen von Interesse. Nicht als Vorbild, sondern als Experiment mit dem Leben, das auch für andere Menschen anregend sein kann.

Kindergarten, Schule und Berufsausbildung wollen Kinder und Jugendliche auf das folgende

Leben vorbereiten. Das tun sie heute weitgehend in einem genau durchdachten Plan – außerhalb des praktischen Lebens, auf das sie vorbereiten wollen. Während Kinder und Jugendliche früher in ihre Berufstätigkeit hineinwuchsen, indem sie einfach mitarbeiteten. Das war in einer handwerklich bestimmten Arbeitswelt gut möglich, heute in dieser Art nicht mehr. Das systematisch durchdachte Lernprogramm hat aber auch zu einem Verlust an Realitätsbezug des Lernens geführt, der wieder auszugleichen ist. Das kann durch Praktika geschehen, die Kinder und Jugendliche in die Wirklichkeit der Arbeitswelt eintauchen lassen: auf einem Bauernhof, in einer Fabrik, in der Hilfe für hilfsbedürftige Menschen. Auch für alte Menschen. Einander menschlich wieder näherkommen – das gehört ebenso zur Vorbereitung auf das Leben wie das geplante Lernen. Denn die Jungen wollen nicht nur gute Techniker werden, sondern auch friedliche Menschen, und das werden sie in der Begegnung mit anderen Menschen.

Alte Menschen pflegen

Ein alter Mensch braucht Zeit.
Nicht etwas Zeit, nicht viel Zeit,
sondern unbegrenzte Zeit.

Während meiner Berufstätigkeit hatte ich oft Kindergärten zu besuchen, um die jungen Praktikanten in ihrer Arbeit zu beraten und auch zu beurteilen. Da gibt es selbstverständlich bewährte Regeln, wie die Kindergärtnerin am besten die Kinder zum Spiel anregt, wie sie einen Reigen einführt, wie das Frühstück eingenommen oder das Märchen erzählt wird. Solche Regeln können der augenblicklichen Situation angepasst werden oder sie können erstarren. Deshalb sollten die Praktikanten-Betreuer nicht die strikte Einhaltung bestimmter Regeln fordern, sondern vor allem die Praktikanten darauf aufmerksam machen, wie ihr heutiges Vorgehen auf die Kinder gewirkt hat. Das ist nicht so leicht, wie es vielleicht zunächst scheint, denn der Praktikant muss hier lernen, von außen auf sein eigenes Handeln zu blicken.

Von Praktikanten-Betreuern wird eine erzieherische Leistung oft nach bestimmten Normen beurteilt; viel wichtiger aber ist, wie der erziehende Mensch auf die Kinder gewirkt hat, nicht nur im Kindergarten, sondern bis zum Ende der Schulzeit. Es gibt Lehrer, die betreten den Schulraum und der Unterricht kann beginnen. Andere Lehrer müssen minutenlang darum kämpfen, dass ihre Anwesenheit überhaupt wahrgenommen wird. Was ist das eigentlich, das den einen Menschen zum Erzieher macht, ehe er etwas Konkretes getan hat – und den anderen nicht? Die Kinder suchen in einem Erwachsenen, wenn er sich offen und natürlich zeigt, die Welt, in die sie ja hineinwachsen, zu der sie gehören wollen. Sie suchen im Erwachsenen ihre eigene Zukunft. Wer nur Wissensinhalte anbringt, wirkt langweilig, oft auch irreal, er verdient keine Aufmerksamkeit. Denn Kinder suchen das wirkliche Leben, keine abfragbaren Wissensinhalte.

Das Unwirkliche, die Scheinwelt unserer Schulen kann überwunden werden, wenn im Schulraum sich Ich und Du begegnen. Wenn Lehrer auftreten, die nicht nur etwas richtig machen, sondern die schon durch ihr Erscheinen erzieherische Persönlichkeiten sind. Kinder suchen Menschen, die im Leben stehen, in dem Leben, in das sie hineinwollen.

Und wen suchen alte Menschen? Mehr als die Kindergärtnerin soll die Altenpflegerin viele Handgriffe beherrschen. Wenn die Injektionsnadel nicht richtig eingestochen wird, ist das am «Au» des Patienten zu hören. Der alte Mann möchte, trotz seines Gewichts, mit einem sicheren Griff aus dem Liegen zum Sitzen auf der Bettkante gebracht werden. Und die alte Frau möchte gerne sanft auf dem Toilettenstuhl landen, wenn das denn nötig ist. Von einem Altenpfleger erwarten wir, dass diese Handgriffe sicher beherrscht werden.

Aber sie allein machen noch nicht den Altenpfleger aus. Wenn das Kind vom Erzieher und Lehrer erwartet, dass sie das Leben führen, in das es hineinwachsen will, was erwartet der alte Mensch dann vom Altenpfleger? – Als ich einmal mit einem Asiaten über die Betreuung alter Menschen sprach und ihm unser Altenheim zeigte, mischte sich in seine Äußerungen über Europa, die sonst recht positiv klangen, eine gewisse Bitterkeit: «Wie können diese Europäer ihre Eltern in ein Heim geben? Für uns Asiaten ist die Sorge für die alten Eltern ein wichtiger, ein zentraler Lebensinhalt.» Das ist sicher schon längst nicht mehr allgemein gültig, in den asiatischen Industrieländern sind viele alte Menschen allein gelassen. Aber meinem Gesprächspartner ging es ja um etwas anderes. Er dachte nicht, dass die Jüngeren eine moralische Verpflichtung haben, die Alten zu versorgen, sondern er meinte, dass die Alten den Jüngeren einen «zentralen Lebensinhalt» geben. Dabei hat er sicher nicht nur an die Märchen erzählende Oma gedacht oder an die liebevollen Großeltern, bei denen Kinder gut aufgehoben sind, wenn die Eltern arbeiten; sondern er dachte daran, dass die Alten für die Menschen in der Lebensmitte und in der Jugend einen Sinn des Leben erschließen, der erst im Alter erfahrbar wird. Es ist ein Verlust für die Gesellschaft, dass die Alten ihre Erfahrungen viel weniger mitteilen dürfen, als dies früher der Fall war. Hier können Altenpfleger stellvertretend wirken und aus ihrer Begegnung mit den Alten erzählen, unser Bild vom menschlichen Leben erweitern.

Das Leben der Kinder ist auf ein Ziel hin orientiert, sie wollen erwachsen werden. Und das Leben der Alten? Ist es rückwärts orientiert? Ist es Ausklang einer besseren Zeit, in der man noch rüstig war? Auch das Leben der Alten, wenn es gelingt, hat einen Zielpunkt: ganz der Mensch zu werden, der sie sein wollen und können, wenn sie den Leib ablegen. Ein altes Sprichwort sagt, man kenne einen Menschen erst richtig, wenn man weiß, wie er gestorben ist. Vorausgesetzt dass der Mensch im Vollbesitz seiner Kraft durch das Tor des Todes gehen kann. Es gibt Menschen, die im Alter ganz anders werden, als sie im bisherigen Leben waren. Deren Tätigkeitsdrang sich in Besinnlichkeit wandelt oder deren Strenge zur Friedfertigkeit wird. Wenn wir solche Altersbiografien betrachten, wird allmählich der Mensch erkennbar, der aus der Zukunft heraus sich verwirklichen will, der Mensch, der wir noch nicht sind, zu dem wir aber freudig «Ja» sagen können, freudiger als zu dem, der wir im Leben bisher geworden sind.

Alte Menschen pflegen heißt nicht nur, sie zu versorgen und zu betreuen, die Tätigkeiten, die sie nicht mehr selbst ausführen können, zu übernehmen – sie anzukleiden, zu waschen, zu füttern. Es heißt auch, eine Welt zu schaffen, in der sie ihr Leben abrunden und in die Zukunft hinein öffnen können. Von diesem Anliegen ist bei der Beschreibung des Berufes oder gar bei der Bezahlung des Altenpflegers wenig die Rede. Leider.

Wie menschlich eine Gesellschaft ist, das entscheidet sich aber wesentlich daran, wie sie zu den Kindern und zu den Alten steht. Diese Menschlichkeit bestimmt unsere Zukunft mehr als der technische Fortschritt.

Wenn Kinder an der Kindergärtnerin oder am Lehrer das Leben wahrnehmen, das vor ihnen liegt, dann lockt das die Kinder in unsere Welt hinein. Und was wollen die alten Menschen an den Altenpflegern erleben? Auch die Welt, auf die sie zugehen, die mit dem Tod beginnt. Aber sind die Alten selbst dieser Welt nicht näher als die Altenpfleger? Ja, aber der Mensch möchte seine Zukunft nicht nur in sich, sondern auch im Blick auf andere erleben. Und der Tod wird uns nahe, wenn wir in seine Stille eintreten: Wenn der Altenpfleger ganz still wird, wenn der Alte aus seinem Leben erzählt, wenn er seine kleinen Nöte ausspricht, dann wächst der Alte über sich selbst hinaus, zunächst in den hörenden Menschen hinein. Und wenn der Alte das erleben kann, dass ein anderer still wird, dann fasst er Vertrauen in die Welt, auf die er zugeht. Und schließlich kommt vielleicht eine Bitte, die die höchste Anerkennung für einen Altenpfleger ist: «Bitte, seien Sie da, wenn meine letzte Stunde kommt. Sie brauchen gar nichts zu tun, nur an meinem Bett sitzen und mir die Hand halten. Wenn Sie da sind, dann fällt es mir leichter.» Der Mensch in der Todesnähe spürt, dass es nun in die Stille hineingeht und dass in der Stille alle bisherigen Stützen wegbrechen, dass nur noch die Beziehung zu solchen Menschen bleibt, die still sind. Gute Altenpfleger sind Mittelpunkte der Stille in unserer Gesellschaft.

Ein alter Mensch braucht Zeit, nicht etwas Zeit, nicht viel Zeit, sondern unbegrenzte Zeit. Ähnlich wie das kleine Kind. In die unbegrenzte Zeit taucht ein, wer still wird. Wenn ich einem Menschen zuhöre, der seine Not ausspricht, so gibt es in diesem Augenblick nichts anderes in der Welt als diese Not. Ich begrenze nicht meine Zeit durch einen nächsten Termin. Jetzt bin ich ganz Ohr. Ganz gegenwärtig zu sein, das fällt solchen Menschen schwer, die sonst viel zu tun haben. Doch Zeit unbegrenzt zur Verfügung zu stellen, das spart Zeit, denn so wird ein Thema wirklich erledigt. «Aber wer etwas auf sich hält, der muss doch unter Termindruck stehen. Und daran sollte man die Kinder ja wohl schon möglichst früh gewöhnen. Und man sollte den Alten zeigen, dass sie noch im Leben stehen, dass sie noch Termine haben.» Man meint, in Altenheimen Personal sparen zu müssen, und vermehrt so die Zahl der Arbeitslosen. Realistisch ist diese Sozialpolitik wohl kaum.

Nach einem längeren Krankenhausaufenthalt war ich recht unbeweglich geworden. Ich konnte nicht mehr ohne Hilfe aus dem Bett aufstehen, ich konnte nicht mehr einen einzigen Schritt gehen. Ich war ungeschickt bei einfachen und gewohnten Bewegungen, beim Waschen und beim Essen. Ich war ungeschickter als ein kleines Kind, aber ich war ja ein erwachsener Mensch und wollte als solcher gesehen und behandelt werden.

Es ist eine gar nicht leichte Aufgabe für den Altenpfleger: dem betreuten Menschen zu helfen, ohne dass diese Hilfe ihm seine Hilflosigkeit wieder einmal vor Augen führt. Es gibt alte Menschen, die Hilfe gern annehmen und dabei passiv werden. Und es gibt andere, die sich beleidigt zeigen, wenn man ihnen hilft: «Das kann ich doch selbst.» Es geht darum, so zu helfen, dass die Hilfe die Aktivität des alten Menschen hervorlockt und ihm zugleich eine sichere Stütze in der Welt gibt. Etwa indem ihm die Hand als Stütze entgegengehalten wird. Indem der Alte die Hand ergreift, hat er fast den Eindruck, selbst zu handeln. Oder wie taktvoll kann ein Altenpfleger das Stück Brot fast bis zum Munde des alten Menschen führen und zum Schluss noch dessen Hand beteiligen. Der alte Mensch sucht Sicherheit, braucht aber zugleich den Raum, in dem er aktiv sein kann. Dieser Raum wird umgrenzt durch die Person des Altenpflegers, wie für das kleine Kind die vertraute Welt dort endet, wo die geliebten Menschen stehen. Innerhalb dieses Raumes kann das Kind auch aktiv werden.

Eine weitere Qualität in der Arbeit des Altenpflegers ist dessen Natürlichkeit. Das wird wohl an keiner anderen Stelle so deutlich wie bei der Körperwäsche und beim Gang zur Toilette. Vielen alten Menschen fällt es gar nicht leicht, die Kleidung abzustreifen, sich waschen zu lassen und nach dem Stuhlgang sich abwischen zu lassen – von einem

Pfleger des gleichen oder des anderen Geschlechts. Die oft hier vorhandene Scheu sollte wohl bemerkt, aber nicht in den Mittelpunkt der Aufmerksamkeit gerückt werden. Je natürlicher und selbstverständlicher das vonseiten des Altenpflegers geschieht, desto schneller und problemloser wird sich auch der alte Mensch daran gewöhnen. Der Altenpfleger hat wohl darauf zu achten, ob im Intimbereich eine Rötung oder gar Pilzbefall eintritt, eine offensichtliche Konzentration auf diese Stellen aber stört die Natürlichkeit der Situation. Deshalb also eine unauffällige Wachheit. Vielleicht folgt auf das Waschen die Einreibung mit einer Salbe. Wahrscheinlich will der alte Mensch wissen, wie die Salbe heißt und was sie bewirkt. Es ist doch gut, dass ich jetzt diesen Altenpfleger habe, der weiß, was nötig ist. Das trägt auch zur Natürlichkeit der Situation bei.

Es gehört zu den Aufgaben des Altenpflegers, darauf zu achten, dass der alte Mensch genügend trinkt, dass er regelmäßig Stuhlgang hat, dass frische Luft in sein Zimmer kommt. Wie viel trinken Sie? So viel, wie ich Durst habe. Mit diesem Grundsatz bin ich gut durch die Jahrzehnte des Lebens gekommen. Im Alter wird mir nun von Ärzten gesagt, dass ich zu wenig trinke und dass deshalb die belastenden Stoffe nicht genügend abgeführt werden. Der Leib brauche eineinhalb Liter pro Tag, sagt mein Urologe. Das möchte man ja gern vom Facharzt hören samt Begründung, damit man es einsehen kann. Aber diese Aussage braucht nicht ständig wiederholt zu werden. Es gibt Menschen, die dauernd andere belehren möchten, ungefragt selbstverständlich, und die diesen Drang mit Vorliebe an alten Menschen ausleben. Das öffnet den alten Menschen nicht für diese Inhalte, sondern verschließt ihn. Bei diesen ständigen Wiederholungen fühle ich mich in meiner Verantwortung für mich selbst nicht ernst genommen. Auch der Jugendliche kann solche ständigen Ermahnungen nicht leiden, aber er hat schneller eine patzige Antwort parat.

Alte Menschen, die im Heim oder zu Hause betreut werden, haben oft ein zentrales Motiv in ihrem Leben und Empfinden: den Verlust eines nahestehenden Menschen. Der Ehepartner, vielleicht eines der Kinder sind gestorben. Und wenn nun eine neue Beziehung geknüpft wird, etwa zu dem Altenpfleger, so wird dieser manchmal als Nachfolger des Verstorbenen gesehen. Das öffnet den alten Menschen, belastet aber die Beziehung mit Erinnerungen und Erwartungen. Meistens ist es besser, das Thema nicht offen anzusprechen, aber der Altenpfleger sollte es kennen und vielleicht einen älteren Kollegen um Rat fragen. Einsame Menschen wollen oft einen anderen Menschen ganz und ausschließlich für sich haben, doch der Altenpfleger hat ja noch andere zu betreuen. Das kann deutlich werden, wenn alle diese Betreuten einmal gemeinsam den Beginn der Adventszeit feiern. Andererseits braucht jeder der Betreuten ein ganz persönliches Wort des Altenpflegers, der nicht vergisst, den Hochzeitstag oder den Todestag des Sohnes zu erwähnen. Vorausgesetzt selbstverständlich, dass der Alte selbst dem Altenpfleger gegenüber solche Gedenktage erwähnt hat, dass dieser sie also nicht aus den Akten herausgefunden hat. Es ist nicht sinnvoll, dass der Altenpfleger in die Rolle eines Toten hineinschlüpft; er ist eine neue Gestalt im Leben des alten Menschen, und doch greift er einen Lebensinhalt dieses alten Menschen auf und führt ihn fort.

Der Mensch möchte im Altenheim ein neues Zuhause finden, aber er möchte oft noch nicht von seinem bisherigen Lebenskreis Abschied nehmen. Gewiss ist es sinnvoll, Veranstaltungen für alte Menschen durchzuführen. Aber sehr gerne nehmen alte Menschen an festlichen Veranstaltungen in ihrem bisherigen Lebenskreis teil, zu denen auch jüngere Menschen kommen. Die Hochzeit der Großnichte ist ein aufregendes Ereignis. Da werden viele Gedanken auf Kleidung und Schmuck verwendet, lange Zeit vorher und nachher spricht der alte Mensch immer wieder von diesem Tag. Und wie schön ist es, noch einmal ein festliches Konzert in der Stadt besuchen zu können. Man genießt noch einmal die Luft der großen Welt, in der man ja auch gelebt hat. Der Blick möchte noch einmal in die Weite schweifen, wenn man dann wieder seine Ruhe in den eigenen vier Wänden hat. Der alte Mensch möchte erleben, dass er noch dazugehört, wenn er auch einen anderen Platz einnimmt als in früheren Jahrzehnten.

Wie wichtig das Interesse für die große Welt, die Teilhabe am Weltgeschehen für den alten Menschen ist, wird noch viel zu wenig beachtet. Der Rückzug aus der Welt bedeutet das Festhalten oder Festkrallen am eigenen Leib und an den eigenen seelischen Problemen. Der Mensch erstarrt in sich, wenn er nicht mehr mit der Welt atmet. Das gilt für alle Lebensalter, wird aber besonders wichtig im höheren Alter. Wir brauchen Veranstaltungen über zeitgeschichtliche Themen mit Niveau, die nicht Spezialkenntnisse voraussetzen, die aber anschaulich machen, wie und wodurch sich unsere Welt wandelt. Der alte Mensch darf der gegenwärtigen Welt nicht fremd werden. Der Altenpfleger sollte deshalb ein Mensch sein, der in seiner Zeit drin steht.

Altersweisheit und Altersgüte

Weisheit lässt sich nicht erlernen, sie will reifen.
Im Leben für das Leben.

«Wenn Menschen sehr alt werden, können sie oft nicht mehr für sich selbst sorgen. Sie bemerken nicht mehr die Flecken auf ihrer Kleidung, nicht dass sie ihre Jacke falsch geknöpft haben, sie wissen nicht, ob sie heute schon zu Mittag gegessen haben, sie versäumen wichtige Termine, sie erkennen alte Bekannte nicht wieder und wissen nicht mehr, wo sie wohnen ...» So könnte man lange fortsetzen. Offenbar geht es mit dem Menschen im Alter abwärts, oft sogar rapide abwärts. Und Menschen im Umkreis haben für diesen Verfall vielleicht eine einfache Erklärung: Der Körper ist abgenutzt und damit auch der Geist. Wie eine Maschine klappert, wenn sie wertlos geworden ist und durch eine neue ersetzt werden muss.

Doch merkwürdig, dass wir trotz dieser Erfahrungen hohe Erwartungen an alte Menschen haben. Wir hoffen, dass sie weise und gütig sind. Weiser und gütiger als während der vorausgegangenen Jahrzehnte ihres Lebens. In der Mitte des 20. Jahrhunderts, als sich dem Denken über den Menschen neue Perspektiven eröffneten, schrieb der Baseler Biologe Adolf Portmann in seinen *Biologischen Fragmenten zu einer Lehre vom Menschen*: «Die Eigenart des menschlichen Alterns findet im biologischen Wissen unserer Zeit noch keine Erklärung ... Der Blick auf den Reichtum der späten menschlichen Lebensphasen, auf die großen Unterschiede der Lebensmacht, die gerade in dieser Zeit sichtbar werden, zwingt uns, die beschränkte Geltung der bloß aus dem Mengenmäßigen gewonnenen Normen einzusehen und unseren Sinn der geheimnisvollen Hierarchie der Geistesmacht zu öffnen.»[*] Portmann unterscheidet also zwei Entwicklungslinien, die mit den Begriffen leiblich-biologisch und geistig-seelisch nicht richtig erfasst werden. Sondern: Eine Entwicklungslinie kann als Verfall bezeichnet werden, leiblich wie auch geistig. Die andere Entwicklungslinie ist der Aufstieg zu Höchstleistungen, die der Biologe Portmann biologisch nicht überzeugend erklären kann, sondern

[*] Erschienen im Schwabe Verlag, Basel 1944.

nur im Blick auf die «geheimnisvolle Hierarchie der Geistesmacht». Der Aufstieg zeigt sich auch in leiblichen Vorgängen, ist aber aus diesen nicht erklärbar. Sondern?

Die geistige Kraft, die nicht in den Strudel des Verfalls hineingerissen wird, sondern eine neue, eine Alterskultur des Menschen entwickelt, ist sicher nicht vorausberechenbar, sondern überrascht den Betrachter einer Biografie. Und sie ist wohl auch nicht während der vorausgehenden Jahrzehnte allmählich und unbemerkt entwickelt worden. Um die eigene Qualität der Alterskultur zu verstehen, sollte der Blick nicht nur rückwärts, auf die Lebensmitte, gerichtet werden, sondern auch vorwärts, auf das Lebensende.

Wenn der Mensch in der Krisenzeit der Lebensmitte beginnt, seinen im Leben errungenen Platz gegen die nachdrängenden Jüngeren zu verteidigen, dann wird die Weiche für die Fahrt abwärts, für den Verfall im Alter, bereits gestellt. Denn die Selbstbehauptung verhärtet, und Verhärtung führt zur Erstarrung. Das ist fast berechenbar. Wenn in der Lebensmitte der Sinn für das, was die Welt jetzt braucht, sich öffnet, dann ist ein guter Weg in Richtung auf das Alter eingeschlagen. Aber aus dieser Wendung in der Lebensmitte sind Altersweisheit und Altersgüte, sind die seelische und schließlich sogar leibliche Frische im Alter noch nicht zu erklären.

Dass die Lebenserfahrung zunimmt, dass der Mensch behutsamer urteilt, dass der Blick auf die Ganzheit der Lebensverhältnisse sicherer wird, dass der Mensch für neue Aufgaben eine reichere Erfahrung mitbringt, dass in schwierigen Lebenssituationen der Rat der Alten sich bewährt – das sind Früchte der Lebensarbeit. Aber das ist noch nicht die Alterskultur, das erklärt noch nicht die neue, fast kindliche Frische mancher alter Menschen. In der chinesischen Kultur gehörte zum Alter eine eigentümliche Erfahrung: Der Bauer, der Handwerker oder der kaiserliche Beamte hatten durch Jahrzehnte redlich gearbeitet, so wie es den Regeln des Lebens entsprach. Und wenn sie im Alter nun auf diese Jahrzehnte zurückblickten, entdeckten sie, dass sie, ohne es zu beabsichtigen, doch recht individuell gelebt und gearbeitet hatten. Die persönliche Eigenart zu betonen, das wäre dem Chinesen recht fremd gewesen, das hätte er wohl gern dem

Europäer überlassen. Aber indem der Chinese sich selbst vergaß in seine Arbeit, in sein Leben hinein, wurde er ganz unvermerkt er selbst und zugleich ein guter Chinese. Oder besser umgekehrt: Er wurde ein guter Chinese und dadurch er selbst. Und wer ein guter Chinese ist, braucht nicht mehr nach den traditionellen Lebensregeln zu fragen, sondern er handelt spontan, und so wird er immer mehr und mehr chinesisch.

Oft wird davon gesprochen, dass Menschen im Alter ihren erstarrten Gewohnheiten folgen. Ja, im misslingenden Alter. Wenn aber ein Mensch weise und gütig wird, wenn er eine echte Alterskultur entwickelt, dann ist er nicht erstarrt, sondern spontan, originell. Der altersreife Mensch wird nicht im Laufe der Jahrzehnte Schritt um Schritt entwickelt, sondern die lebensreife Persönlichkeit bricht hervor wie die Natur im Frühling, wenn die Sonne die Pflanzen hervorlockt. So entfalten sich im Alter, hoffentlich, die Frühlingskräfte der Seele, die noch nicht zu sehen waren, die aber vielleicht schon gespürt wurden, wenn der Mensch in der Lebensmitte nicht an sich, sondern an die Arbeit dachte, die er für die Welt zu tun hatte.

Aus der Selbstvergessenheit in der Arbeit wird die Selbstvergessenheit im spontanen Handeln. Der alte Mensch fragt nicht, wie er originell handeln könne, sondern er vergisst sich selbst und denkt nur an die Welt. In der Selbstvergessenheit wird er *er selbst*.

Unser Weg führt hinaus in die Welt und führt dorthin, wo aus der Welt heraus der Mensch sich selbst entgegenkommt. In der gelingenden Alterskultur steht der Mensch nicht mehr der Welt gegenüber, sondern er ist in der Welt und aus der Welt. Der Mensch existiert, weil er die Welt um ihn herum bejaht. Werden wir im Alter, wenn es gut geht, nicht alle ein wenig chinesisch?

Dass über einer schönen Kindheit die Sonne scheint, ist wohl leicht zu sehen. Doch welche Sonne ist es, die im Alter vielleicht schon ihr Morgenrot zeigt? Diejenige Sonne, die beim letzten Atemzug ganz hervortritt. In der Biografieforschung, besonders auch in der Sterbeforschung der letzten Jahrzehnte ist immer wieder beachtet worden, dass manche Entwicklungsschritte nicht aus dem heraus erklärt werden können, was vorangegangen ist, sondern erst aus dem, was folgt. Die einzelnen Phasen des Sterbens sind nicht der allmähliche Verfall der im Leben aufgebauten Persönlichkeit, sondern sie werden erst verständlich als Weg auf den Tod zu. Der Tod, der noch gar nicht eingetreten ist, gestaltet, vorausgreifend, den Vorgang des Sterbens. Und auch die Entwicklung des Menschen im Alter ist nicht verständlich ohne den Zielpunkt dieser letzten Lebensphase. Das ist die «geheimnisvolle Hierarchie der Geistesmacht», von der Portmann gesprochen hat, die nicht als Produkt der Vergangenheit zu verstehen ist, sondern als Zugriff auf die Zukunft. Im Blick auf die Zukunft sind wir über uns selbst hinaus, wir sind uns selbst voraus. Und erst in diesem Zugriff auf die Zukunft verwirklichen wir uns selbst, werden wir ganz wir selbst. Der Mensch ist nicht nur ein Gewordener, sondern auch ein Werdender. Er wird durch das Leben auf der Erde ein Himmelsmensch. Das spüren viele kleine Kinder, und deshalb mögen sie Oma und Opa so gern. Und feinfühlige alte Menschen spüren in der Begegnung mit kleinen Kindern nicht nur: So waren auch wir einmal, sondern sie spüren in den Kleinen auch ihre eigene Zukunft.

Was ist Alters*weisheit*? Sicher nicht die Fülle des

im Leben angesammelten Wissens. Nicht einzelne Kenntnisse, die formuliert und abgefragt werden können. Weisheit lässt sich nicht erlernen, sie will reifen. Im Leben und für das Leben.

Zwei junge Leute sind verliebt und wollen heiraten. Seine Eltern sind gegen die Heirat, weil sie von der jungen Frau nichts halten. Es kommt mehrmals zu heftigen Diskussionen, aber nicht zu einer Annäherung der Standpunkte. «Opa, kannst du nicht ein Machtwort sprechen?» «Nicht ein Machtwort, aber ich schlage vor, eine offene Situation zu schaffen und das Leben sprechen zu lassen. Die beiden Jungen trennen sich für vier Monate, treffen sich nicht und telefonieren nicht miteinander. Wenn sie nach diesen vier Monaten noch heiraten wollen, dann sagen auch die Eltern ja.» Alle Beteiligten hatten schwer zu schlucken an diesem Vorschlag, denn sie merkten, dass Opa ernst meinte, was er sagte. Vier Monate Windstille. Und dann das Gespräch – kam nicht zustande, weil die junge Frau sich andernorts gebunden hatte. Und nun verlangte Opa: Kein Wort mehr zu diesem Thema. Denn sonst hätte es wieder begonnen: Haben wir uns doch gleich gedacht ... Wenn ihr nicht ... Lebensweisheit achtet den Eigenwillen aller Beteiligten, sie kommt zu verpflichtenden Vereinbarungen und schafft Frieden statt Sieges- und Niederlagenstimmung.

Oder ein Beispiel aus der großen Welt: Als nach dem Zweiten Weltkrieg Indien sich aus dem britischen Kolonialreich lösen konnte und selbstständig wurde, sagte Gandhi, der neue Staat sei nur dann berechtigt, wenn er sich eine Aufgabe setze. Und diese Aufgabe liege schon offen auf der Hand: religiöse Toleranz. Denn zu dem neuen Staat gehörten neben den hinduistischen Gebieten damals noch die muslimischen von Pakistan und Bangladesch. Die Staatsbildung sei allein durch den Willen der Bürger noch nicht genügend gerechtfertigt, sondern erst durch die Erfüllung einer Aufgabe für die ganze Menschheit: in Frieden leben zwischen Muslimen und Hindus. Heute, Jahrzehnte später, sehen wir vielleicht deutlicher, was ein solches friedliches Zusammenleben für die Menschheit als Ganze bedeutet hätte. Gandhi war Realist und hat aus seiner Altersweisheit heraus gesprochen, er wurde aber nicht gehört. Ob wohl heute zwischen den Beamten der Europäischen Union in Brüssel über

Gandhis Weisheit von den Aufgaben der Staaten gesprochen wird?

Altersweisheit ist individuell, sie kann nicht ohne Weiteres auf andere Situationen übertragen werden. Nicht jede umstrittene Freundschaft zeigt ihren Wert oder Unwert, wenn man die Partner für vier Monate trennt. Dass Opas Rat gut war, zeigte sich erst, als er verwirklicht wurde, obwohl oder gerade weil dieser Rat nicht leicht anzunehmen war. Wie gut Gandhi gedacht hat, erkennen wir erst heute. Die Welt sähe anders aus, wenn Gandhi gehört worden wäre. Opa im Familienkonflikt und Gandhi in der Weltpolitik haben nicht aus der Ferne über etwas nachgedacht, sondern sie haben sich in die betroffenen Menschen hineinversetzt und sich für sie verantwortlich gefühlt. Zwar wird oft davon gesprochen, dass der alte und vor allem der sterbende Mensch sich von der Welt entfernen. Ja, aber nur im misslingenden Alter. Der altersreife Mensch entfernt sich nicht, sondern er stirbt in die Welt hinein. Deshalb ist Altersweisheit realistisch.

Was ist Alters*güte*? Sicher nicht die Blindheit gegenüber den Fehlern und Schwächen der anderen – oder den eigenen. Der Gütige weiß sehr wohl, was gut und was nicht gut ist. Aber er weiß auch, dass es nicht weiterführt, moralische Forderungen zu stellen. Und jedes Mal enttäuscht zu sein, wenn ein Mensch seine guten Vorsätze wieder nicht einhält. Dem anderen vielleicht noch eine Bewährungsprobe zuzugestehen, eine letzte? Und dann den Menschen aufgeben? Oder so oft den Versuch wagen, wie ich die Kraft dazu habe? Güte kann ich nicht von anderen verlangen, sondern ich kann sie nur selbst aufbringen.

Oma hat es nicht leicht mit ihrem Enkelkind. Der fünfjährige Bursche, der von den Eltern fest im Griff gehalten wird, braucht einen Platz für seinen Übermut und findet den bei Oma. «Wenn du noch einmal auf den Teppich spuckst, dann gehen wir morgen nicht in den Zoo.» Das muss ja wohl erprobt werden, und diese Probe lässt nicht lange auf sich warten. Am nächsten Tag aber sitzen Oma und Enkel friedlich nebeneinander im Bus zum Zoo. Beide sind offensichtlich zufrieden, nur nicht die Mutter des Kindes. «Oma, wie soll denn der Junge lernen, dass seine Handlungen Folgen haben? So wird er doch ganz lebensfremd. Was man angekündigt hat, das muss man auch tun. So hast du es auch gehalten, als wir noch Kinder waren. Und das war ganz richtig.» «Aber das Kind hat sich doch so auf den Zoo gefreut.» Das Weitere hat die Mutter nicht mehr ausgesprochen, sondern nur bei sich gedacht: Dass Menschen im Alter doch oft so unvernünftig werden. Hoffentlich ich später nicht. Es ist doch wohl völlig widersinnig, Spucken auf den Boden mit einem Zoobesuch zu belohnen. Dass man im Alter so etwas nicht mehr einsieht ... Nun lässt sich immer wieder beobachten, dass Kinder genau unterscheiden, ob ein Erwachsener aus Schwäche nicht durchführt, was er angekündigt hat, oder ob er aus Liebe zum Kind über den eigenen Schatten springt. Wer aus Schwäche zurückweicht, wird verachtet. Wer aus Liebe zum Kind umschwenkt, hat es in Zukunft nicht leicht, aber er baut Vertrauen beim Kinde auf. Altersgüte gibt nicht klare Regeln, aber seelische Wärme für das Leben.

Wir alle, wir Menschen in allen Lebensaltern, brauchen Güte, brauchen einen gütigen, verzeihenden Blick auf unsere Fehler. Doch Güte heißt nicht, den Blick abzuwenden von dem, was schlecht ist. Sondern es klar ins Auge zu fassen und dann neu zu beginnen. Der gütige Mensch ist Realist, wie auch der altersweise. Solcher Realismus fällt nicht leicht, aber er ist die Krönung des Alterns. Wir brauchen gütige alte Menschen, wenn unser Leben wieder menschlicher werden soll.

Alt zu werden, ist nicht leicht. Mensch zu sein, ein menschlicher Mensch zu werden, auch nicht. Aber offenbar hat ER, der den Menschen gewollt hat, uns zugetraut, dieses hohe Ziel zu erreichen. Und wo auch nur ein wenig davon erreicht wird, beginnt das Glück des Alters, das Glück der Reife. Es beginnt das Licht des Erdenlebens, das über den Tod hinaus in den Himmel hineinstrahlt und das auf manchem Totenantlitz schon sichtbar wird. Wenn wir nur zu sehen lernen, was uns vor Augen liegt.

Im Rückblick auf das Leben
den Frieden finden

Aussprechen, das erfordert Mut –
Mut zu mir selbst. Und der ist besonders
im Alter gefragt.

Ich bin, wie so oft, in einem Kindergarten, um dort eine Praktikantin zu besuchen und zu beraten. Da bemerke ich, wie im Nebenraum ein neues Spiel beginnt: Kinder spielen Kindergarten. Eine Sechsjährige sammelt sechs Dreijährige um sich. Sie ist die Gruppenleiterin, und die Dreijährigen sind die Kinder. Die «Gruppenleiterin» stellt die Kleinen im Kreis auf und beginnt mit ihnen ein Reigenspiel. Leider hatte die erwachsene Gruppenleiterin keine Zeit, um zuzuschauen. Denn sie wurde von dem sechsjährigen Mädchen gekonnt nachgeahmt, mit allen Eigentümlichkeiten der Sprache und Bewegung, bis hin zu dem unverwechselbaren Augenzwinkern. Gut durchdacht? Nein, sicher nicht. Das sechsjährige Kind versetzte sich in die Rolle der Gruppenleiterin und damit auch in deren Verhalten, ungewollt und unvermerkt. So wächst das Kind nachahmend in unsere Welt hinein, ohne dass es auf eine Verhaltensform festgelegt wird. Das Kind lernt an einem Vorbild, Mensch in dieser Welt zu werden. Das Modell wird mehrfach gewechselt und verschwindet schließlich ganz. Was bleibt, ist der gekonnte Zugriff auf die Welt.

Kinder spielen gerne Familie: Vater, Mutter, Tante Olga, den Postboten, den Handwerker. So oft ich diese Spiele gesehen oder mitgespielt habe, Oma und Opa kamen nie vor. Und es gibt doch deren so nette. Weshalb spielt das Kind Personen aus der Eltern-, kaum aber aus der Großeltern-Generation? Es spielt doch nicht, wie das oft gesagt wird, um belastende Eindrücke abzureagieren – den schimpfenden Vater, die ungeduldige Mutter –, sondern es realisiert im Spiel die Welt, in die es hineinwachsen, die es selbst werden will. Das Ich des Kindes lebt im Zielpunkt seines Lebens, und dieses Ziel liegt für das Kind nicht im Greisenalter, sondern in der Lebensmitte. Das Kind bringt in sein Leben einen Entwurf dessen mit, der es werden will. Und dieser Entwurf ist vorausgeworfen in die Lebensmitte. Wenn der Entwurf eingeholt und verinnerlicht ist, dann ist die erste Lebenshälfte gelungen, dann hat der Mensch «sich verwirklicht», wie man heute gern sagt.

Und dann? Ob dann die Wendung der Biografie, die Ausrichtung auf einen neuen Zielpunkt gelingt, das entscheidet darüber, ob die zweite Lebenshälfte, ob das Altern gelingt. Während in der ersten Lebenshälfte die Frage lautet: Wo und wie kann ich mich am besten ins Leben einbringen? Wo ist mein Platz in der Welt?, so wird jetzt gefragt: Was braucht die Welt? Menschliche Existenz ist darauf veranlagt, dass wir nicht nur ausleben, was in uns veranlagt ist, sondern dass wir über uns hinauswachsen, dass wir uns wandeln in der Begegnung mit der Welt von heute. Es ist die erste große Weichenstellung für das nahende Alter, dass in der Lebensmitte, in den Dreißiger- und Vierzigerjahren, diese Wendung von der Selbstverwirklichung zum Leben aus dem Zeitschicksal gelingt. Wer jetzt beginnt, sich gegen die «unreifen» Vorstellungen der Jüngeren zu verteidigen, um die bewährte Ordnung in Beruf und Familienleben zu bewahren, der beginnt zu erstarren, schon jetzt und erst recht im Alter.

Die zweite Weichenstellung auf das Alter hin ist der Abschied von Lebensinhalten, die bisher wichtig waren. Das kann recht früh beginnen, wenn die

Kinder das Haus verlassen. Familie, das war bisher vielleicht der Mittelpunkt des Lebens gewesen. Mutter oder Vater war ich gewesen, weil die eigenen Kinder mich zu Mutter oder Vater gemacht haben. Und nun haben meine Kinder ihre eigenen Familien, mit einem etwas anderen Lebensstil. Ich bin dort ja ein willkommener Besuch – ein Besuch. Die Enkel freuen sich auf Oma und Opa. Und diese Bezeichnung, die der rüstige Endvierziger sonst eher von sich weist, von den eigenen Enkeln nimmt er sie gerne an. Enkel schaffen es am ehesten, dass wir uns mit der Würde des Alters anfreunden. Und wie oft beginnen älter werdende Menschen, die keine Enkel haben, ein Enkelverhältnis zu einem Kind in der Nachbarschaft. Wir brauchen, um wir selbst zu werden, die Beziehung zu Menschen in anderen Lebensaltern. Auch und ganz besonders brauchen Kinder und alte Menschen diese Beziehung.

Weshalb neigen alte Menschen dazu, zurückzublicken in frühere Zeiten? Das wird oft erklärt als eine Flucht aus der Gegenwart. Manchmal wohl zu Recht. Aber diese Erscheinung kann auch anders verstanden werden: Das Leben in der früheren Zeit wird als real erlebt, und nun im Alter droht der Verlust der Wirklichkeit. Die Erinnerung an frühere Zeiten darf dann nicht als Flucht aus der heutigen Wirklichkeit verstanden werden, sondern sie kann, im Gegenteil, der Rückzug aus der unwirklich werdenden Welt in die frühere Wirklichkeit sein. Wenn die Erinnerung so verstanden wird, dann ist es ein großer Unterschied, ob der Alte unter Altersgenossen oder für Jüngere erzählt. Die Jüngeren hören oft – wenn nicht gar so viele Wiederholungen vorkommen – aufmerksam solchen Erzählungen zu, in denen Augenzeugen von dem berichten, was man sonst nur aus dem Geschichtsbuch kennt. Und für die Alten ist es eine Wohltat, gefragt zu sein, während die Welt von heute oft fremder wird. Jedoch, auch wenn man wiederholt erzählt – können sich die Jüngeren denn wirklich in die damalige Zeit hineinversetzen? Das können doch wohl nur die Altersgenossen. Deshalb sind für die Alten die Gesprächskreise unter Altersgenossen so wichtig. Wenn nicht nur über die schlechten Verhältnisse heute gejammert wird, schaffen oder verstärken solche Gesprächskreise die Verwurzelung in der

Realität des Lebens – des Lebens, das damals so intensiv gelebt wurde.

Nun gibt es für den alten Menschen, besonders für den Menschen in der Todesnähe, eine ganz andersartige Gesprächssituation. Bei den Erzählungen für die Gleichaltrigen und für die Jüngeren ging es darum, die Ereignisse von damals wieder lebendig zu machen. «So war das damals, und ich war dabei. Ich bin doch jemand, nicht wahr?» Ob dabei zwei Menschen zuhören oder zehn, das ist nicht wichtig. Wenn es um dasjenige geht, was damals geschehen ist, so ist die Erzählung öffentlich, jeder kann zuhören. Ich bin ich durch dasjenige, was ich erlebt und getan habe, aber auch durch das, was ich verschwiegen habe, vor den anderen und vor mir selbst, woran ich einfach nicht denken wollte. Das kann ein Misserfolg oder eine Demütigung sein, über die heute niemand mehr spricht, die aber doch unter der Schwelle des Bewusstseins fortwirken. Oder ich habe einmal das Vertrauen eines Menschen missbraucht, ohne dass dieser andere es bemerkt hat. Wir haben zu dessen Lebzeiten nie darüber gesprochen, nun aber meldet sich die Erinnerung manchmal zu Wort. Weshalb kann sie nicht weiter schweigen wie bisher? Ich möchte doch im Alter meine Ruhe haben.

Dieses einzelne zum Schweigen verurteilte Ereignis kann sich ausweiten zu einem großen Lebensmotiv, zu einer Art zweitem Leben, das man neben dem allgemein bekannten geführt hat. Da hat es zum Beispiel im Leben eines Mannes eine lange Jahre während außereheliche Beziehung gegeben, von der die Freunde, von der die Lebenspartnerin nichts ahnten. Vielleicht war es gut so, denkt er, denn wir waren glücklich miteinander, und dieses Glück wäre durch das Wissen um die andere Beziehung vielleicht zerstört worden. Ich konnte die beiden Welten getrennt halten, sie haben sich gegenseitig nicht gestört. So jedenfalls schien es mir damals. Doch jetzt im Alter, die Ehepartnerin und die Freundin sind bereits gestorben, meldet sich das verdrängte Problem zu Wort. Vor allem wenn ich mit meinen Kindern zusammen bin. Aber warum die Kinder mit diesem Thema belasten? Kann ich mein Wissen nicht unausgesprochen mit ins Grab nehmen?

Unausgesprochen mit ins Grab nehmen? Vielleicht bin ich der Einzige oder der Letzte, der etwas weiß über den Fehler, den dieser Freund begangen hat. Und ich spüre, dass es so gut ist, dieses Wissen mit ins Grab zu nehmen. Da geht es nun von Menschen in andere Wesen über. Dort gehört es nun hin. Deshalb die alte Regel, über Tote nicht schlecht zu sprechen.

Aber weshalb regt sich die Erinnerung an diese außereheliche Beziehung dann, wenn der alte Mann mit seinen Kindern zusammen ist? Will die Erinnerung ausgesprochen werden, solange er noch lebt? Nur ein einziges Mal ausgesprochen werden unter vier Augen? Wer sich ausspricht, wer sein Innerstes offenbart, entblößt sich, liefert sich aus. Es ist allzu gut verständlich, dass wir das scheuen. Denn wir wissen nicht, wie der Zuhörer antwortet. Nicht nur etwas von früher erzählen, sondern sich aussprechen, das erfordert Mut – Mut zu mir selbst. Und der ist besonders im Alter gefragt. Deshalb ist das Altwerden nichts für Feiglinge. Wer den Mut zu sich selbst hat, geht anders durch die Pforte des Todes. Das spüren feinfühlige Menschen im Alter voraus. Und deshalb wollen sie sich aussprechen.

Wem gegenüber sich aussprechen? Gegenüber einem Menschen, zu dem ich Vertrauen habe. Aber wenn ich dieses belastende, mich fast erdrückende Thema ausgesprochen habe, wie soll ich mit diesem Menschen dann noch bei einer Tasse Kaffee zusammensitzen? Vielleicht: Wenn ich angehört wurde, danke ich und verabschiede mich auf Nicht-mehr-Wiedersehen. Schade, aber diese Vertrauensbeziehung hat mir doch zu mir selbst geholfen, sie hat sich erfüllt. Oder: Nach dem Gespräch können wir uns unbelastet in die Augen sehen, wir können uns weiterhin begegnen, allerdings anders und intensiver als bisher.

Oder ich suche einen Berater auf, einen Menschen, der mich und meine Familie nicht kennt. Vorsichtshalber in einer anderen Stadt. Meinen Personalausweis muss ich doch wohl nicht zeigen? Ich brauche ja nur einen Rat. Oder, wenn es einen guten Rat nicht gibt, wenigstens einen Zuhörer. Wenn irgend möglich, sollte es ein Gesprächspartner sein, dem ich Auge in Auge, von Mensch zu Mensch, begegne. Wenn das gar nicht möglich ist, gibt es immer noch eine Telefonseelsorge.

Wenn ich mich ausgesprochen habe, spüre ich wohl deutlich, dass etwas sich verändert hat in meinem Leben. Aber was eigentlich? Wenn ich einen guten Rat bekommen habe, ist der Gewinn des Gesprächs greifbar. Vielleicht aber gibt es im Gespräch gar keinen Rat, sondern ich höre nur, dass ein anderer Mensch mein Problem anders sieht und beurteilt, als ich das getan habe. Mich auf einen anderen Betrachter-Standort zu versetzen, das gibt mir einen weiteren Atem, und der tut mir gut.

Wer sich selbst noch feiner beobachtet, wird vielleicht bemerken, dass die Wandlung nicht erst beginnt, wenn der Freund oder Berater, die Vertrauensperson etwas sagt, sondern schon, wenn ich mich ausspreche und wenn jemand – zuhört. Zwei Vorgänge greifen hier ineinander. Ich bin mutig und ehrlich genug, mich auszusprechen, ohne etwas zu beschönigen, ohne mit meiner Offenheit etwas erreichen zu wollen, ohne ein abschließendes Urteil des Beraters schon vorwegzunehmen. Ich will nur sagen, was war, weil ich spüre, in der Ehrlichkeit werde ich wieder ganz ich selbst. Und dieser Bewegung der Ehrlichkeit kommt die andere Bewegung entgegen: Ein Mensch hört zu. Wie soll ich denn aus der Tiefe meiner selbst sprechen, wenn niemand zuhört? Nicht nur die Erzählung hört, sondern *mich* hört? Wie viele Menschen, junge wie alte, brauchen das heute, dass jemand sie hört, aber sie finden einen solchen Menschen vielleicht nicht. Und deshalb sind sie im Trubel der Diskothek – einsam.

Es ist doch wohl, wenn wir aufmerksam sind, genau zu unterscheiden: Mein Gesprächspartner hat richtig aufgefasst, was ich gesagt habe, er hat nicht missverstanden, was ich gesagt habe. Aber ich fühle *mich* nicht gehört. Ich habe meinem Freund oder dem Berater etwas aus meinem Leben erzählt, aber dieses Etwas meinte ich gar nicht, sondern ich meinte mich selbst. Und *mich* hat er nicht gehört. Oder umgekehrt: Es werden gar nicht viele Worte gemacht, aber ich fühle *mich* wahrgenommen und verstanden. In die hörende Seele des anderen hinein kann ich sprechen, nicht nur über das, was geschehen ist, sondern ich kann zeigen, wer ich war. So werde ich am *Du* zum *Ich*. Das ist es, was schon das Kind bei der Mutter sucht, das ist es, was der Sterbende bei einem vertrauten Menschen sucht: die Menschlichkeit.

Und wenn ich niemanden kenne, der mich hört? Hört mich denn wirklich niemand? Vielleicht bin ich gestern Abend eingeschlafen mit dem Gefühl, ich sei allein gelassen, niemand nehme mich mehr wahr. Wohl noch, was ich tue, was ich leiste oder versäume, aber nicht denjenigen, der ich bin. Und heute früh beim Aufwachen habe ich gespürt: Während des Schlafes hat jemand mich wahrgenommen, zwar nicht ein leibhaftiger anderer, aber jemand, der in der Stille lauschte. War es ein Mensch, ein Toter, ein Engel, Gott? Ich weiß nicht, wer mich gehört hat, aber ich weiß, es war jemand, der mich versteht.

Ein Kind hat die Mutter angelogen, ohne dass es entdeckt wurde. Nun tut dem Kind leid, was es getan hat. Aber mit der Mutter kann es darüber nicht sprechen, und einen anderen Menschen dafür hat es auch nicht. Aber wenn es nicht ausspricht, was nun bedrängt, so spürt das Kind, ist es nicht mehr ganz es selbst. Nun gibt es aber doch einen, der mich immer hört. Das Kind öffnet die Tür des Kachelofens und spricht seinen Kummer in den Ofen hinein. Die Worte gehen ja wohl durch den Schornstein in den Himmel und dort hört sie derjenige, dem ich alles sagen kann. Und wenn DER mich hört, werde ich wieder der

Mensch, der ich eigentlich sein will. Von diesem Kind lässt sich wohl einiges lernen.

Und verbirgt sich wohl hinter dem Bedürfnis alter Menschen, von früher zu erzählen, dieser Wunsch, sich auszusprechen? Und damit sich selbst zu finden? Da wird vielleicht die gleiche Geschichte wieder und immer wieder erzählt, doch es wird ein Teil des Erlebten ausgeklammert, ein Teil der eigenen Persönlichkeit wird verschwiegen, geleugnet, unterdrückt. Das kann eine ganz persönliche Note haben wie bei dem Mann mit seiner außerehelichen Beziehung, das kann auch einen überpersönlichen, einen zeitgeschichtlich bedingten Hintergrund haben. Wenn Opa von der Kriegszeit erzählt, da gibt es merkwürdige Lücken, an denen der Erzähler rasch vorbeihuscht. Hat er von dem, was man heute in Geschichtsbüchern lesen kann, damals doch schon mehr gesehen und gewusst, als er heute zugibt? «Opa, hast du einmal selbst einen feindlichen Soldaten oder Zivilisten erschossen? Wie hast du dich gefühlt, als du geschossen hast und als der andere niedersank?» Jetzt ist Opa nicht mehr nach dem gefragt, was geschehen ist, er ist nach sich selbst gefragt. «Wer warst du damals?»

Es ist ein großes Lernfeld des Alters, sich selbst zu sehen, wie man gewesen ist – ohne Beschönigung und ohne Anklage. Ruhig ins Auge zu fassen: So war ich. Wer im Alter ehrlich auf sein Leben zurückblickt und besonnen zu urteilen beginnt, ist wohl vorbereitet auf den Tod. Darauf, dass er von der anderen Seite her gesehen und gerufen wird. Wer das gelernt hat, ist bereit für den letzten Schritt im Leben. «Ja, ich bin bereit. Ich komme.»

Abschied nehmen

Wo ist die Zeit, die ich durchlebt habe?
Oft wird wie selbstverständlich gesagt:
hinter mir. Wirklich?
Ist sie nicht vielmehr *in* mir?

Im Laufe des Lebens werden wir uns vielleicht mehrmals von einem Menschenkreis verabschieden, in dem wir Wichtiges erlebt haben, in dem wir zu Hause waren. Am Ende der Schulzeit sagen wir Ade zu unseren Klassenkameraden und wir wissen, dass wir uns so, als Klassenkameraden, nie wieder sehen werden. Für das erste Ehemaligen-Treffen werden zwar Zeit und Ort schon verabredet, aber dort treffen wir uns als Ehemalige. Interessant, dann zu hören, was aus den Einzelnen geworden ist, und es wird gewiss Freude machen, dann Erinnerungen auszutauschen an dasjenige, was jetzt noch unsere Gegenwart ist. Mit dem Ade ist vielleicht ein Abschiedsschmerz verbunden – vor allem aber ist der Blick in die Zukunft gerichtet. Schule ist zu Ende, nun geht es auf das eigentliche Leben zu, in dem wir erst richtig wir selbst werden. Deshalb: Schule ade. So verabschieden wir uns später von den Kollegen in der Berufsausbildung, vielleicht von unserer

Heimatstadt, in der wir nicht den gewünschten Arbeitsplatz finden. So werden wir vielleicht wegen der Eheschließung oder wegen der beruflichen Aussichten ein weiteres Mal den Wohnort wechseln. Wir werden vielleicht auswandern. Hier geht es immer um die Wendung nach vorn, die wohl mit einer Verabschiedung verbunden ist. Aber *wir* sind es, die vorwärtsgehen, und die bisherige Welt bleibt zurück.

Ganz anders, wenn wir von wesentlichen Lebensinhalten Abschied nehmen, wenn wir Abschied nehmen müssen, weil wir älter werden. Wandern war für mich nicht nur ein schöner und erfrischender Inhalt von Wochenenden und Urlaubszeiten, sondern das Erleben der Landschaft war für mich ein Stück Selbst-Erleben. Nun konnte ich die gewohnten dreißig bis vierzig Kilometer nicht mehr schaffen, und den Rucksack auch nicht mehr. Die Freude an der Natur blieb, und so ging ich eben spazieren. Ich verabschiedete mich nicht vom Wandern, weil ich etwas Neues, das Spazierengehen, entdeckt hatte, sondern ich nahm Abschied – nicht nur von einer Tätigkeit, dem Wandern, sondern von mir selbst, dem Wanderer. Denn ich bin nicht nur gewandert, sondern ich war ein Wanderer, der Schritt um Schritt den Weg geht, für den die Welt sich so schnell verändert, wie er geht. Das ist ein Verständnis von Wirklichkeit, das zum Lebensgefühl des Wanderers gehört.

Zweimal bin ich auf dem «kungsleden» (Königsweg) durch die lappländische Bergwelt gewandert. Fünf Tage ohne eine bewirtschaftete Hütte, ohne ein Telefon. Eine wunderbare Zartheit der Farben und Formen in der Natur. «Ödland» wird diese Gegend in der landeskundlichen Beschreibung genannt. Das hat wohl jemand geschrieben, der nie dort gewandert ist. Mit jedem Schritt wächst der Wanderer mehr mit der Erde zusammen. Dort schmeckt noch die Luft, und das Wasser. Und der Wanderer wird mit jedem Tag mehr er selbst. Die Erde macht ihn zum Menschen. Wenn ich tausend Schritte gegangen bin, ein ganz anderes Erlebnis von Landschaft. Am Ende der Wanderung komme ich zu einem See. Ein Lappländer fährt uns auf seinem Motorkahn hinüber. Und ich kann gar nicht fassen: Die Landschaft ändert sich, obwohl ich ruhig sitze. Wer gewandert ist, nicht nur durch die Gegend gelaufen, der wird wohl verstehen, dass da für mich nicht nur eine Freizeitbeschäftigung auf- gehört hat, sondern dass ich Abschied genommen habe vom Leben als Wanderer. Gelegentlich, wenn ich aufräume, kommen mir noch einmal die Wan- derschuhe in die Hand. «Ja, das war einmal ... Das war ich einmal ...»

Es ist leicht, sich über alte Menschen lustig zu machen, die noch jung spielen wollen. Dürfen wir von einem Menschen nicht erwarten, dass er Schritt hält mit seiner Lebenszeit? Diese Erwar- tung ist leicht zu erfüllen, solange man in angese- hene Stellungen hineinwächst: wenn man Teenager wird oder volljährig, wenn man in der beruflichen Stellung aufsteigt. Und dann? Welchen neuen Sinn gewinnt das Leben für den Menschen im Alter? Früher, so wird in der Klage vielleicht hinzuge- fügt, wurde das Alter noch geehrt, aber heute nicht mehr. Wirklich nicht? Sind alte Menschen heute nicht gefragt? Ich habe den Eindruck, sie sind sehr gefragt, wenn sie altersreif, wenn sie weise und gütig sind. Der Grauhaarige in seiner dritten Pubertät allerdings ist nicht interessant, denn pu- bertieren können Jugendliche viel besser. Aber wer im Alter ein gelebtes Leben verinnerlicht hat, wer sich selbst so zurückhalten kann, dass er anderen gut zuhört – der ist gefragt.

Den ersten Schritt allerdings muss der alternde Mensch tun. Wie das früher auch war. In den Areopag, das höchste Gericht im antiken Athen, wurde nur hineingewählt, wer eines der höchsten Staatsämter untadelig geführt hatte. Das ist selbstverständlich nicht auf heute zu übertragen, weil dann die höchsten Gerichte wegen Personalmangels schließen müssten. Aber es bleibt auch für heute gültig, dass die Fähigkeit zu urteilen sich nicht im Studium, sondern im Leben bildet. Die Fähigkeit zu urteilen und einen guten Rat zu geben. Es ist eine Schwäche in unserem sozialen Leben, dass die beiden Funktionen, das Beraten und das Entscheiden, oft nicht sauber getrennt werden. Es gibt Menschen, die gut beraten können, die aber nicht oder nicht mehr die Kraft haben, Entscheidungen durchzuhalten. Denn wer entscheidet, muss zur Entscheidung stehen. Wer berät, soll frei lassen und durch die Weisheit des Rates überzeugen. Ein Rat darf ja den Beratenen nicht binden. Wer als Verantwortlicher im sozialen Leben einen öffentlichen Rat erhält, sollte in seiner Entscheidung frei bleiben, aber sagen, weshalb er diesem Rat nicht gefolgt ist. Was wir brauchen, ist ein Rat der Alten, in den berufen wird, wer das Vertrauen der anderen genießt.

Der Mensch in der Lebensmitte und darüber hinaus wird seine Selbsteinschätzung daran orientieren, was er für die Welt leistet. Das wird, vor allem in körperlicher Hinsicht, weniger. Und damit auch der Wert des Menschen? Oder kann ich Abschied nehmen von meinem Selbstverständnis als rüstiger Mensch, ohne mich selbst aufzugeben? Wann der Höhepunkt der Leistungsfähigkeit überschritten wird, das ist allerdings in einzelnen Berufen unterschiedlich: für den Sportler sehr früh, für den Generaldirektor oder den Arzt recht spät. Aber jedenfalls gilt es dann, Abschied zu nehmen – nicht von etwas, sondern von dem Menschen, der ich bisher war. Und das ist nicht, wie am Ende der Schulzeit, eine Verabschiedung, weil ich auf ein neues Ziel zugehe, sondern es ist der Abschied von mir, der ich im Leben geworden bin. Ich kann nicht mehr wandern, aber kann ich den Menschen, der ich im Wandern geworden bin, verinnerlichen? Kann ich den Realismus, der sich im Wanderschritt ausgebildet hat, in mir still werden lassen? Wenn ich diesen

Berg vor mir sehe und abschätze, wie lange ich dorthin zu wandern habe, wenn ich an dem Bach stehe und abschätze, ob ein Sprung hinüberträgt, wenn ich abschätze, wie festen Halt der Wanderstock in dieser Geröllhalde gibt – so entwickle ich in der Berührung meines Leibes mit der Erde ein Gefühl für die Wirklichkeit, das zunächst ganz praktisch ist. Aber dieses Gefühl hat mir nicht nur Sicherheit in der Welt gegeben, es hat mich auch selbst verwandelt. Ich bin im Wandern ein anderer Mensch geworden, und der bleibe ich, hoffentlich, auch wenn ich nicht mehr wandern kann.

Ich bin, der ich geworden bin. Gelebtes Leben ist in dem alternden Menschen verinnerlicht. Dieser Mensch hat eine gehaltvolle Vergangenheit, und das ist ein Reichtum, der dem jungen Menschen noch fehlt. Aber der junge Mensch hat eine Zukunft, und ist die nicht wertvoller? Und hat der alte Mensch keine Zukunft? Vor dem jungen Menschen breitet sich die Zeit aus, unbegrenzt. Nach der Lebensmitte mischt sich in dieses Zeiterleben das Gefühl: Wenn ich dies oder jenes jetzt nicht beginne, dann wird es vielleicht zu spät. Im Alter wird Zeit gar nicht nur im Rückblick auf das eigene Leben erlebt, sondern Zeit erhält eine neue Qualität: Sie ist das, was ich noch vor mir habe. Noch. Nun erlebt der Mensch die Zeit von ihrem Schlusspunkt, von der Zukunft her. Zukunft wird sehr real, aber anders als beim jungen Menschen. Sie hat nicht Weite, sondern Konzentration. Ich bin, der die knapp werdende Zeit nutzt, um noch ganz ich selbst zu werden. Für was oder für wen? Wenn der Tod naht?

In der Lebensmitte wird vielleicht darüber diskutiert, ob der Mensch über den Tod hinaus existiere. Was spricht dafür, was spricht dagegen? Für den Menschen, der aufmerksam und feinfühlig auf den Tod zugeht, ist diese Frage nicht mehr offen. *Dass* es weiter geht, ist sicher. Aber *wie*? Wer bin ich dann? Sicher nicht der, der ich während der Jahrzehnte meines Lebens gewesen bin. Was mir Stütze im Selbst-Verständnis gewesen ist, das muss ich zurücklassen: den Besitz, das Ansehen, das meine Stellung mir gegeben hat, die Sicherheit, die mir Kenntnisse und berufliche Routine gegeben haben. Genügt das, was bleibt, um noch ich selbst zu sein? Diese Frage kann allmählich und leise auftauchen, sodass man sich an die Todesnähe gewöhnt. Oder sie kann sich plötzlich und überwältigend stellen und dann eine Panik auslösen. Wer in Panik gerät, kann sich nicht verabschieden. Die Lebenszeit rundet sich nicht ab, sondern wird abgebrochen. Wer sich verabschiedet, kann sich aus dem Leben lösen und auf die nachtodliche Zukunft einstellen.

Wo ist die Zeit, die ich durchlebt habe? Oft wird wie selbstverständlich gesagt: *hinter* mir. Wirklich? Ist sie nicht vielmehr *in* mir? Wer im Zugehen auf den Tod das gelebte Leben in sich anschaut, wird sich selbst gegenüber objektiver und kann sich leichter von demjenigen lösen, der er gewesen ist. Er nimmt Abschied nicht von etwas, sondern von sich selbst, dem Erdenmenschen. Wer im Rückblick souverän wird gegenüber den Ereignissen des Lebens, der erfährt schon vor dem Tode den Menschen, der den Tod überdauert. Wer bin ich, wenn all das von mir abfällt, worauf ich mich bisher gestützt habe? Da bin ich ganz ich selbst. Wenn diese Selbstfindung im Alter gesucht wird, wird vielleicht verständlich, weshalb der alte Mensch gerne aus seinem Leben erzählt. Er greift nicht nach Erinnerungen an dieses und jenes, sondern er greift nach dem eigenen Ich, das beständig bleibt, wenn die

Welt entschwindet, nach dem Ich, das Abschied nehmen kann von der Welt und einen neuen Weg beginnt. Einen neuen Weg – deshalb hat das Altern, wenn es gut geht, einen Beigeschmack von Frische, von Jugendlichkeit, der nicht aus dem zu Ende gehenden Erdenleben kommen kann, sondern aus der Zukunft, auf die der Mensch zugeht.

Wer sich im Leben verabschiedet, von der Schule, von einer Arbeitsstelle, von der Heimatstadt, hat, so ist zu wünschen, einen Lebensinhalt vor sich, der ihm mehr entspricht als derjenige, den er verlässt. Das ist anders bei der Vertreibung aus der Heimat, beim Beginn der Dauerarbeitslosigkeit, oft auch bei Ehescheidungen. Hier ist es nicht der betroffene Mensch selbst, der eine neue Richtung einschlagen will, sondern diese wird vom Schicksal gefordert. Er weiß wohl, was er hinter sich lässt, aber nicht, jedenfalls nicht deutlich und sicher, was auf ihn zukommt. Und ist das nicht ein Kennzeichen des modernen Lebens überhaupt, dass es auf unsere Initiative rechnet, obwohl wir nicht wissen, wie die Zukunft aussieht? Während in der Kultur, die durch Tradition bestimmt ist, die Zukunft überschaubar war – denn sie war wie die Vergangenheit.

Einen Weg einzuschlagen, ohne zu wissen, durch welche Landschaft er mich führt, das erfordert Mut. Und wenn ich nun an ein Leben nach dem Tode, an ein Leben im Himmel glaube, an göttliche Gerechtigkeit und Gnade, habe ich dann keine Angst mehr vor dem Tode? Es ist erschreckend zu erleben, dass manche Menschen, die andere im Sterben liebevoll begleitet haben, die schöne Worte des Trostes für die Hinterbliebenen gefunden haben, erschreckt werden durch den nahenden eigenen Tod. Dass sie nicht Abschied nehmen können von ihrem Leben, in dem sie viel Gutes getan haben für andere Menschen. Kann man denn etwas Besseres tun, um sich auf den eigenen Tod vorzubereiten?

Ein Wissen um das, was nach dem Tode kommt, kann offenbar die Angst vor dem Tode nicht auslöschen. Ist das nicht erstaunlich? Dass eine ungewisse Zukunft den Menschen ängstigt, ist ja wohl einzusehen – aber eine Zukunft im Himmel? Ja, ist es denn sicher, dass ich dorthin komme nach all dem, was ich falsch gemacht habe? Aber wenn die Sünden mir doch vergeben sind oder wenn ich auch ohne eine Beichte an die Güte Gottes glaube, dann könnte ich doch wohl mutig den ersten Schritt in die neue Richtung tun. Offenbar aber hat das Wissen, auch das gut begründete Wissen um die Zukunft, nicht die Kraft, die Angst zu überwinden.

Eine Angst vor dem, was kommt, gibt es nicht nur bei der Annäherung an den Tod, sondern, weniger stark und weniger offenkundig, schon bei dem Übergang in eine neue Lebensphase. Jugendliche treten zwar oft recht robust und selbstbewusst auf, aber oft rührt sich doch in der Tiefe der Seele eine Angst vor dem Leben. Bin ich dem gewachsen, was auf mich zukommt? Meine Eltern, meine Lehrer waren doch auch einmal jung, angeblich. Und sie behaupten, damals Ideale gehabt zu haben. Damals. Und heute sehe ich den ganzen Schmutz, der von dieser älteren Generation auf mich zukommt. Werde ich ihm standhalten können? Ist es nicht sinnvoller, dem auszuweichen? Gar nicht erwachsen zu werden, sondern jugendlich und rein zu bleiben? Also an pubertärer Magersucht zu sterben? Und später: Bin ich als junger Erwachsener bereit, nicht nur die Freuden des Lebens auszukosten, sondern auch die Verantwortung des Berufes, der Familiengründung zu tragen? Kann ich noch später den Schritt von der jüngeren zur mittleren und dann zur älteren Generation wagen? Wie die Älteren leben, das habe ich vor Augen, wie der Zustand des Alters sich von innen anfühlt, das ist die unbekannte Welt, auf die ich zugehe. Habe ich Angst?

Wenn es früher auf dem Bauernhof die Wohnung der älteren Generation, das Altenteil, gab, so hatten alle vor Augen, wohin der Weg einmal führen wird. Damit war der Übergang selbstverständlicher – aber war er deshalb etwa angstfrei? Von einer bisherigen Lebensphase löst sich der Mensch leichter, wenn er sie wirklich durchlebt hat. Wer wirklich jung sein durfte, kann selbstverständlicher erwachsen werden. Wer die Lebensmitte ausgekostet hat, der hat es leichter, älter zu werden. Wer sein Leben wirklich durchlebt hat, kann sich leichter von ihm lösen. Wer es wirklich durchlebt hat. Damit ist selbstverständlich nicht gemeint, dass der Mensch von Genuss zu Genuss oder von Anerkennung zu Anerkennung geeilt ist, sondern dass er ganz eingetaucht ist in die Tätigkeit, dass er sagen konnte: Mein Leben, das *bin* ich. Wer freudig Ja sagen konnte zu seinem Leben auf der Erde, der kann sich auch leichter lösen, wenn es an der Zeit ist. Wer, rückblickend, einen Sinn in seinem Leben nicht erkennen kann, der hat es oft auch schwer, Abschied zu nehmen. «Das kann doch wohl das Leben noch nicht gewesen sein?»

Abschied zu nehmen, das hat ja nur dann einen Sinn, wenn es uns weiterhin gibt, denjenigen, der bleibt, und denjenigen, der geht. Der warme Händedruck beim Abschied möchte sagen: Wir bleiben verbunden. Und die Gewissheit, dass wir verbunden bleiben, ist, neben dem erfüllten Leben, die zweite Hilfe, ohne Angst den Schritt durch das Tor des Todes zu wagen. Eine Frau im hohen Alter spürt, dass der Tod naht. Sie hat es nicht schwer, sich von ihrem Besitz zu lösen und von ihrem Leib. Da kommt überraschend die bange Frage: «Werdet ihr mich nicht vergessen?» Und das war ja eine wirklich unvergessliche Oma. Was sie hören wollte, war nicht ein leichthin Gesagtes «Wir werden an dich denken», sondern eine glaubhafte Bestätigung. Denn nur Worte, die glaubhaft gesprochen werden, können den Menschen durch die Pforte des Todes begleiten. Aber solche Worte können das auch.

In Omas Familie war es üblich, an bestimmten Tagen an die toten Angehörigen zu denken, an alle. Es gab also eigentlich keinen Anlass zu fragen, ob man sie etwa vergessen werde. Doch in der Todesnähe empfindet Oma, dass sie, wenn sie den Schritt hinüber getan hat, nicht mehr fortleben kann durch sich selbst, sondern dass sie angewiesen ist auf die Hinterbliebenen, auf andere Tote, auf Engel. Deshalb hilft es nicht zu sagen: «Oma, du weißt doch, am Totengedenktag gehen wir alle ...», sondern Oma braucht eine schlichte Bestätigung, die aus dem Herzen kommt.

Und wenn wir immer wieder an unsere Toten denken, werden sie das «da drüben» auch wahrnehmen? Verstehen denn die Toten noch unsere Sprache, unsere Gedanken? Die Toten blicken doch ganz anders auf ihr Leben hin, als wir es tun. Ja, aber es gibt eine Sprache, die über diese Grenze hinweg verständlich ist: der Dank, nicht der Dank für diese oder jene Tat, sondern der Dank dafür, dass wir uns begegnet sind.

Dank ist es, der dem alten Menschen den Abschied erleichtert. Nicht das formelle «Dankeschön», sondern der stille, tief empfundene Dank, der sagt: Du hast nicht vergeblich gelebt und gearbeitet, du hast für andere etwas bedeutet. Das Bewusstsein vom Sinn rundet das Leben ab, und auf eine abgerundete Form kann der Mensch nach dem Tode hinblicken. Wer das «Ja» der anderen hört, kann auch «Ja» zu seinem eigenen Weg in die nachtodliche Zukunft sagen.

Eine besondere Bedeutung hat der Dank für diejenigen Toten, deren Leben vorzeitig abgebrochen wurde: in politischen Diktaturen, in Terrorakten, in Katastrophen. Diese Toten haben es oft nicht leicht, ihren Tod anzuerkennen, weil das Leben noch nicht vollendet und abgerundet war. Der Dank trägt zu dieser Vollendung bei. Das gilt auch für die Toten, die sich selbst das Leben genommen haben. Der Schuss, das Gift, der Sprung in den Tod sind noch nicht das letzte Wort, sondern der Weg geht weiter, und auf ihm werden, hoffentlich, auch Hinterbliebene den Toten begleiten. Deren Dank kann zur Abrundung des Lebens beitragen. Der Tote wird mehr er selbst – durch die Hinterbliebenen, mit den Hinterbliebenen, in den Hinterbliebenen.

Der Schritt hinüber

In dem Zwischenraum zwischen irdischer und nachtodlicher Welt ist der Händedruck die Vergewisserung: Ich bin.

Da begegne ich ihr wieder, der fast hundertjährigen Frau, die im Rollstuhl ausgefahren wird. Es ist heute so schönes Wetter, und jeder wird ihr wohl die Sonnenstrahlen draußen gönnen. Von meinem Gruß nimmt sie keine Notiz, und es ist fraglich, wie viel sie überhaupt noch von der Welt rundherum wahrnimmt. Sie ist friedlich, am Tage und in der Nacht, sie fällt niemandem zur Last. Aber welchen Sinn hat dieses Leben noch? Ist die Zeit, die man ihr Leben nennen kann, nicht längst vorüber? Ist sie beim Abholen von der Erde einfach vergessen worden? – Einige Monate später liegt sie im Aufbahrungsraum. Und es ist eindrucksvoll, welch klare und wache Stimmung sie umgibt. Es ist deutlich, dass ihr Ich nicht schon abwesend, nicht schon «drüben» war, sondern ganz gegenwärtig, wenn auch schweigend. Im Schritt hinüber wird das offenkundig. Und was die Pfleger für sie getan haben, worauf sie allerdings nicht geantwortet hat, das nimmt sie doch auf ihren weiteren Weg mit, ohne dass der Dank noch ausgesprochen werden kann. Wie das neugeborene Kind *noch* nicht danken kann für die Liebe der Mutter, aber die Kraft für das Leben aus dieser Liebe gewinnt.

Ein Heilpädagoge, schon längst im Rentenalter, aber noch voll berufstätig, stirbt während der Arbeit an einem Herzinfarkt. Sekundenschnell. Die Betreuten werden wohl nicht leicht verstehen können, dass er nicht mehr da ist. Einzeln kommen sie zum Sarg, um Abschied zu nehmen. «Wo», so fragt einer von ihnen, «ist Herr Schäfer?» «Hier», sagt der Erzieher und weist auf den Sarg. «Wo?» Ein Kollege versteht die Frage. «Hier liegt sein Leib, Herr Schäfer ist schon unterwegs.» Das war verständlich.

Der Tote gibt mir nicht die Hand, weil er schon unterwegs ist. Mit dem Schritt hinüber beginnt nicht die ewige Ruhe, sondern der lange Weg. Und jeder Weg hat ein Ziel, das wir, am Sarg stehend, wohl ahnen, das im Schritt hinüber sich nun aber für den Toten auftut. Hoffentlich. Es gibt ja auch Verstorbene, deren Antlitz Ratlosigkeit oder Leere zeigt, Tote, die Zeit brauchen, um sich zu orientieren. Herr Schäfer aber war schon unterwegs, er kennt das Ziel.

Sie ist fünfundsiebzig Jahre alt und recht rüstig. Niemand dachte an einen nahen Tod. Einem aufmerksamen Freund der Familie allerdings war aufgefallen, dass sie in letzter Zeit immer wieder Angelegenheiten in ihrem Leben ordnen wollte. Da gab es einen Vertrag der Hausbesitzergemeinschaft, der nun überarbeitet wurde, da wurden Bankkonten zusammengelegt, da wurden Fotografien geordnet und in ein Album eingeklebt. Die Frau war früher gern in den Urlaub gereist, nun aber seit einigen Jahren nicht mehr. Unerwartet hatte sie jetzt den Wunsch, ihren Geburtsort noch einmal zu sehen. Als sie von dort zurück war, wurde sie auffallend still, saß lange Zeit im Sessel, ohne sich mit irgendetwas zu beschäftigen. Eine auftretende Erkältung wurde von den Angehörigen kaum beachtet. Und dann ging es ganz schnell. Die Familie versammelte sich um das Sterbelager. Die Frau fand noch liebe Worte für jeden, legte ihren Kopf zur Seite, als ob sie sagen wollte: «Sprecht mich nicht mehr an», und verschied ganz friedlich.

Wie verschieden der Tod bei diesen drei Menschen

auch spricht, er hat jedes Mal eine ernste und klare Sprache, die aus einem tiefen Wissen um den Menschen kommt. Tun wir einem alten Menschen etwas Gutes, wenn wir ihn mit allen Kunstgriffen der Medizin im Leibe festhalten, während er selbst eigentlich sterben will? Sind wir, als Ärzte oder als Angehörige, verpflichtet, alles uns Mögliche zu tun, ein Leben so lange wie möglich zu erhalten? Es ist kaum möglich, hier eine allgemeingültige Antwort zu finden, und es ist schon schwierig genug, hier und jetzt für einen bewusstlosen Angehörigen zu entscheiden.

Bei der fast hundertjährigen Frau hat der Tod eindeutig gesprochen. Sie ist in den letzten Lebensjahren gereift, obwohl das im täglichen Umgang noch nicht zu erkennen war. Sie ist als ein anderer Mensch gestorben, als sie vor zehn Jahren war. Sie bringt von der Erde mehr mit, dank der liebevollen Pflege durch andere Menschen. Und das ist gar nicht selten. Vielleicht antwortet der alte Mensch auf die liebevolle Zuwendung, die ihm zuteil wird, kaum mehr. Und vielleicht spricht er überhaupt nicht mehr. Vielleicht aber sagen die Augen einmal «danke», leise, aber unüberhörbar. Das ist eine

Botschaft vom Ich zum Du. Die Sprache des Todes ist auch leise und unüberhörbar, aber sie klingt ganz anders. Sie ist nicht an einen einzelnen Menschen gerichtet, sondern sie kann von jedem gehört werden, der sein Ohr öffnet. Der Tod spricht nicht davon, was dieser Mensch für sich erlebt, erlitten, gewonnen hat, sondern er sagt, was in diesem und durch diesen Menschen *der Mensch* gewonnen hat.

Der Tod ist nicht der Feind, der den Menschen auslöschen will und der deshalb durch die Medizin abzuschaffen ist. Der Tod ist ernst und streng, er fragt uns nach dem, der wir während der Jahrzehnte des Lebens gewesen sind. Unter seinem strengen Blick verstummen die Illusionen, die wir uns über uns selbst gemacht haben, aber es verstummt nicht unser Ich. Das ist oft am Sarg so eindrucksvoll zu erleben: Wenn die Erlebnisse des Alltags zurückgetreten sind, zeigt der Tote nur noch sich selbst. Wenn alles Hörbare verstummt ist in der Stille des Todes, beginnt aus der Stille das Wesen des Menschen zu klingen. Wer warst du?

Und weshalb haben die Jugendlichen ihren toten Heilpädagogen nicht wiedererkannt? Weil das Antlitz des Toten nicht mehr von innen her geformt, weil es nicht mehr der Ausdruck seiner augenblicklichen Stimmung ist, sondern weil Herr Schäfer schon «unterwegs» ist, weil der Tote etwas von seinem Wesen offen zeigt, was während des Lebens hinter dem Erscheinungsbild verborgen geblieben war. Das Antlitz des lebenden Menschen kommt uns entgegen, möchte ins Gespräch mit uns eintreten, das Antlitz des Toten möchte imaginativ betrachtet werden. Der Betrachter blickt, zusammen mit dem Toten, auf dessen Wesensoffenbarung hin. Wir verstehen die Sprache des Totenantlitzes aus dem gemeinsamen Blick mit dem Toten. Wer den Toten «unterwegs» erlebt, versteht den Tod nicht als Abgrund, in den wir am Ende des Lebens stürzen, sondern als Pforte, die sich öffnet, wenn es an der Zeit ist, und die uns den Weg eröffnet, der mit unserer Geburt für das nachtodliche Dasein beginnt.

Es ist gar nicht selten, dass wir den nahenden Tod eines Freundes vorausspüren, aber auf dieses Gefühl nicht aufmerksam sind, dass wir die Ahnung beiseite schieben. Man macht sich, so sagen wir dann, manchmal merkwürdige Sorgen. Und die Ahnung wird sogar vergessen, bis sie in der Erinnerung wieder auftaucht, wenn wir die Todesnachricht erhalten. So können wir im Traume ganz deutlich wissen, dass ein nahestehender Mensch stirbt, und beim Aufwachen haben wir vergessen, welcher Mensch es ist. Der Tod ist nicht nur schweigsam, er teilt sich mit, verhüllt aber zugleich dasjenige, was wir nach dem Aufwachen vor allem wissen wollen. Dass jemand den Vertrag einer Hausbesitzergemeinschaft neu formulieren will, sagt noch nichts Wesentliches aus, aber in diesem Fall war es ein Anzeichen für die innere Einstellung auf den Tod. Für denjenigen, der aufmerksam beobachten kann, der eine Sorge, die man sich selbst macht, wohl unterscheidet von einer Ahnung, die den Menschen anweht, die aus der Verbundenheit mit dem anderen Menschen aufsteigt. Das zu unterscheiden ist nicht leicht. Am ehesten im Nachhinein: wenn wir diese für uns so wichtige Ahnung vergessen haben und wenn sie nach dem Tode wieder auftaucht. Der Tod will uns nicht eine Mitteilung machen, die wir praktisch, bis in die Finanzplanung hinein, verwerten können. Sondern der Tod kann uns lehren, den Weg deutlicher zu sehen, der auf den Tod zuführt – und über ihn hinaus.

Die Erzählung von der fünfundsiebzigjährigen Frau zeigt, dass der Tod schon längere Zeit an unserem Leben mitgestalten kann, dass er zum Beispiel die Sehnsucht wecken kann, den Geburtsort noch einmal aufzusuchen, das Ende mit dem Beginn des Lebens zu verbinden. Wer nun aber bei einem anderen Menschen den Wunsch, den Geburtsort aufzusuchen, als Anzeichen des nahenden Todes deutet, verfällt einer unsinnigen Spekulation. Wo der Tod gestaltend eingreift, werden Bilder allmählich sprechend, und nicht der Betrachter grübelt über den Sinn dieser Bilder nach. Es ist dann der Tod selbst, der spricht. Die Bilder, die sprechend werden, zeigen, wie der Sterbende oder der Verstorbene «unterwegs» ist; sie helfen den Hinterbleibenden, sich auf die ganz andere Welt der Toten einzustellen.

Wohl die meisten Sterbenden haben gerne einen vertrauten Menschen in der Nähe, der das Geleit gibt – der aber nicht festhält. Vielleicht schon längere Zeit, vielleicht auch erst im letzten Augenblick wird nach der Hand dieses Menschen gegriffen. Um sich doch noch an der Erde festzuhalten? Nein, aber wenn auch der kranke Leib kaum noch zu ertragen ist, er ist doch eine Stütze, und die bricht weg, wenn der Schritt hinüber beginnt. Auf der anderen Seite hat der Sterbende noch nicht Tritt gefasst. In diesem Zwischenraum zwischen irdischer und nachtodlicher Welt ist der Händedruck die Vergewisserung: Ich bin. Der Sterbende will nicht auf der Erde bleiben. Er braucht – oder jedenfalls viele Sterbende brauchen – da, wo sie nicht mehr im Leib und noch nicht im Totenreich den Fuß aufsetzen können, einen Trittstein, und der kann im Händedruck gefunden werden.

Der Übergang von der irdischen zur nachtodlichen Existenz kann differenzierter und genauer erlebt werden. Der französische Widerstandskämpfer Jacques Lusseyran wurde im Konzentrationslager schwer krank. «Ich sah, wie ein Organ meines Körpers nach dem anderen abschaltete oder die Kontrolle verlor: zuerst die Lungen, dann die Gedärme, dann die Ohren, alle Muskeln und schließlich das Herz, das sich nur noch ungenügend zusammenzog und ausdehnte, mich mit einem einzigen gewaltigen Geräusch erfüllte. Was ich hier sah – ich wusste genau, was das war: mein Körper schickte sich an, diese Welt zu verlassen. Er wollte nicht ohne Weiteres hinübergehen. Er wollte überhaupt nicht hinübergehen. Ich spürte das an den Schmerzen, die er mir schuf.» Nur noch ein kleiner Ruck, und Lusseyran hätte den Fuß auf der anderen Seite aufgesetzt. Aber von dort kam ihm nicht der Tod, auch nicht ein letztes Aufflackern der Lebenskraft, entgegen, sondern der kraftvolle Quell des Lebens selbst. «Das Leben, erstaunlicherweise das Leben, hatte ganz und gar von mir Besitz ergriffen: ich hatte noch nie so intensiv gelebt. Das Leben war eine Substanz in mir geworden [...] Sie kam wie eine hell schimmernde Welle, wie eine Liebkosung von Licht, auf mich zu. Ich konnte sie jenseits meiner Augen und meiner Stirn, jenseits meines Kopfes wahrnehmen. Sie berührte mich, schlug über mir zusammen; ich ließ mich auf ihr treiben. [...] Ich sog an der Quelle. Und dann trank ich, noch und noch! Diesen himmlischen Fluss wollte ich nicht lassen.» Es war «das Leben, das mein Leben schützte».*

* Jacques Lusseyran, *Das wiedergefundene Licht*. Stuttgart: Klett-Cotta, 1966, S. 258.

Wo sind unsere Toten?

**Der Tote ist vor allem dann zu erreichen,
wenn wir uns intensiv darum bemühen,
ganz wir selbst zu werden.**

Wo sind unsere Toten? Unter der Erde – oder im Himmel? Oder ist die Frage falsch gestellt, weil die Toten überhaupt nicht mehr in einer räumlichen Welt sind? Diese Worte lassen sich nicht aussprechen, aber wie kann man sich denn eine nichträumliche Welt vorstellen? Als der mittelalterliche Dichter Dante (1265–1321) den nachtodlichen Weg des Menschen darstellte, sprach er von verschiedenen Regionen, die der Tote durchwandert. Und ganz ähnlich klingt das in der heutigen anthroposophisch orientierten geisteswissenschaftlichen Literatur. Wenn der Tote von der ersten in die zweite Region wandert, so ist das doch wohl räumlich zu verstehen? Wo sich im Raum ein Gegenstand befindet, da kann nicht gleichzeitig ein anderer sein. Wenn der Tote sich in der zweiten Region befindet, kann er nicht gleichzeitig in der ersten sein. Oder?

In der alt-iranischen Religion wurde davon gesprochen, dass der Tote drei Tage im Umkreis des

Leichnams bleibe und dass er dann über die große Brücke in das Reich der Toten wandere. Hier wird für die ersten Tage nach dem Tode also recht räumlich gedacht. Und dann? Ist der Tote nicht mehr hier, dann ist er doch wohl an einem anderen Ort. Bei tibetischen Bauern wurde der Tote oft förmlich verabschiedet: Iss dich noch einmal richtig satt, du hast eine lange Wanderung vor dir, über mehrere Pässe, und dann, bitte, komm nicht wieder.

Statt über eine räumliche und über eine nicht-räumliche Welt zu diskutieren, ist es wohl sinnvoller, sich auf elementare Erfahrungen im Umgang mit Toten zu besinnen. Wir sprechen davon, dass mir ein Toter nahesteht, ein anderer weniger. Es kann sehr wohl sein, dass mir ein Mensch im Leben recht nahegestanden hat, dass ich aber nun nach dem Tode nicht mehr seine Nähe spüre; oder umgekehrt: dass ich während des Lebens diese Beziehung zwischen uns wenig beachtet habe, dass aber nun nach dem Tode der andere recht naherückt. Nachtodliche Beziehungen können auftreten, wenn wir uns im Leben gut verstanden haben oder wenn das gar nicht der Fall ist. Wir berühren uns, wenn wir uns etwas zu sagen haben. Und das kann von dem einen der beiden, von dem Lebenden oder von dem Toten, ausgehen oder von beiden in gleicher Weise. Es kann sich um Themen handeln, die uns schon früher beschäftigt haben, über die wir während des Lebens öfter gesprochen haben, oder um «neue» Themen. Dabei ist zu beachten, dass der Tote heute über manches anders denkt und dass wir ihn in seiner Vergangenheit festhalten, wenn wir diese neuen Nuancen seines Denkens nicht beachten.

Wie wir manchmal dem Gespräch einiger Menschen nur oberflächlich zuhören und bei bestimmten Worten plötzlich aufmerken, weil sie uns innerlich berühren, so kann auch der Tote bei bestimmten Themen aufmerken, weil sie ihm im Leben vertraut waren oder weil sie ihn erst nach dem Tode ansprechen. Da ist der Tote nicht mehr in einer jenseitigen Welt, sondern er ist in der irdischen Welt gegenwärtig.

Dieser Vorgang wird vielleicht durch einen Vergleich mit der Naturbeobachtung noch deutlicher: Ich stehe auf einer Anhöhe und überblicke eine weite Landschaft. Gleichzeitig nehme ich eine Fülle von Naturerscheinungen wahr. Die Aufmerksamkeit ist gleichmäßig über die ganze Landschaft ausgebreitet. Da steigt plötzlich ein Rauch auf. Sogleich wird die Aufmerksamkeit auf diese einzige Stelle konzentriert. Ich sehe weiterhin die ganze Landschaft, aber ich sehe den Rauch ganz anders als alles Übrige. Ich gehe von einer peripheren, von einer umkreisorientierten Aufmerksamkeit zu einer punktuellen Aufmerksamkeit über. In beiden Fällen habe ich das Gesamtbild, in der punktuellen Aufmerksamkeit bin ich konzentriert auf den Rauch und rücke alles andere an den Rand, während ich in der peripheren Aufmerksamkeit gewissermaßen über der Landschaft schwebe. Der Blick der Toten ist in einer Art peripheren Aufmerksamkeit auf denjenigen Teil der irdischen Welt gerichtet, der ihnen noch vertraut ist.

Und dann wird dieser Blick plötzlich auf einen Punkt konzentriert. Ein nahestehender Mensch gerät im Straßenverkehr oder auf einer Bergwanderung in eine gefährliche Situation, und schon ist der Tote da, sekundenschnell. Das bedeutet noch nicht, dass der Tote diesen Freund ständig im Mittelpunkt des Bewusstseins hat, sondern dass seine Aufmerksamkeit die ihm nahestehende irdische Welt umgreift und im Augenblick der Gefahr sich punktuell konzentriert. Vielleicht hört der Lebende in diesem Augenblick seinen Namen gerufen mit der vertrauten Stimme der Mutter oder der Tote erscheint bildhaft mit einer warnend ausgestreckten Hand. Nur für einen Augenblick. Der Tote denkt und handelt nicht wie wir in einem Nacheinander von Wahrnehmung der Gefahr, Entschluss einzugreifen, Wahl der Mittel und schließlich der Erscheinung für den Lebenden.

Wie der Tote sich nicht an einem bestimmten Ort im Raum befindet, aber auch nicht außerhalb unserer Welt, wie er die Raumes-Welt in seinem peripheren Bewusstsein umfasst, so steht er auch souverän im Zeitlauf. Das Nacheinander der Ereignisse verdichtet sich ihm zur Gleichzeitigkeit, wie schon im Lebenspanorama in den Tagen nach dem Tode die Erlebnisse von Jahrzehnten sich zu einem einzigen Bild verdichten.

Wo sind unsere Toten? Sie sind nicht hier oder dort, sondern im weiten Umkreis derjenigen Welt, die ihnen vertraut und nahe ist. Und aus diesem Umkreis können sie sich auf einen bestimmten Ort konzentrieren, für uns im Raume wahrnehmbar. Ein junger Mann ist im Urlaub in Südasien.

Während seine Mutter bei der Arbeit in der Küche steht, sieht sie plötzlich ihren Sohn im Türrahmen stehen. Die Mutter erschrickt. In freudiger Erregung stürzt sie auf ihren Sohn zu, der sogleich durch die Wand hindurch verschwindet. Die Mutter ist sicher: Das ist mein Sohn, aber er ist nicht physisch anwesend, sondern er hat eben von mir Abschied genommen. Und deshalb nimmt er an einer Stelle des vertrauten Raumes Gestalt an. Ist das ein Erinnerungsbild oder ist es der tote Sohn selbst? Dafür spricht, dass die Erscheinung durch die Wand hindurch verschwindet. Wie «übersinnliche Erscheinungen» oft besser beurteilt werden können an der Art, wie sie verschwinden – besser als an der Art, wie sie auftreten. Wenn wir von einem kürzlich Verstorbenen träumen, liegt es nahe anzunehmen, dass die Erinnerungen sich zum Traumbild verdichtet haben. Solche «Erinnerungsträume» geben nicht immer genau eine erlebte Situation wieder, aber sie schildern den Toten so, wie er war und wie wir ihn erlebt haben. Er ist bei seinem Erscheinen sogleich zu erkennen, er spricht und handelt, wie wir es gewohnt sind, er scheint uns zum Greifen nahe. Aber nicht der Tote selbst ist es, der in solchen Träumen auftaucht, sondern es sind unsere Erinnerungen, die das Traumbild bestimmen.

Nun gibt es ganz andersartige Träume, in denen der Verstorbene nicht so aussieht, wie wir ihn aus der letzten Lebenszeit in Erinnerung haben, sondern jünger, vielleicht viel jünger und von innen her strahlend. Nicht unbedingt heiter, aber etwas von seiner inneren Kraft ausstrahlend. Der Tote ist verändert, aber sofort zu erkennen. Nicht an bestimmten äußeren Merkmalen zu erkennen, sondern der Träumer weiß einfach, wer der Tote ist. Und oft weiß der Träumer schon während des Traumes, dass der andere tot ist. Für solche Träume ist charakteristisch, dass der Tote etwas sagt oder tut, was unerwartet und überraschend ist. Und doch gibt es keinen Zweifel nach dem Aufwachen: Wir sind dem Toten begegnet. Er hat uns etwas mitgeteilt oder wir haben etwas gemeinsam erlebt.

Nicht während des Traumes waren wir mit dem Toten zusammen, sondern während des vorangegangenen Tiefschlafs. Und diese Begegnung spiegelt sich nun im Traum. Deshalb ist charakteristisch für solche Träume, dass sie einen Hintergrund haben. Wir kommen gemeinsam aus dem Hintergrund einer Bühne oder aus einer schönen Landschaft und gehen nach vorn, bis der Tote zurückbleibt und, vielleicht winkend, sich von uns verabschiedet. Wenn wir auch die Handlung im Hintergrund nicht mitträumen, wir wissen, dass es sie gab und dass sie das eigentlich Wichtige war. Und vielleicht wissen wir auch nach dem Aufwachen, um welchen Inhalt es ging. Hier wird die Welt des Tiefschlafs erfahren, was ja recht selten geschieht.

Wie lange Zeit ein Toter den Menschen auf Erden nahe sein kann und will, in Träumen oder in Erscheinungen am Tage, das ist sehr unterschiedlich. Immer wieder kann beobachtet werden, dass dann, wenn der Tote seinen Lebensrückblick beendet hat, wenn also etwa ein Drittel der Lebenszeit nach dem Tode vergangen ist, die Beziehung zu den Hinterbliebenen stiller wird, keineswegs aber schwächer werden muss. Der Tote ist vor allem dann zu erreichen, wenn wir uns intensiv darum bemühen, ganz wir selbst zu werden. Denn dieses Bemühen – das ist seine jetzige Welt.

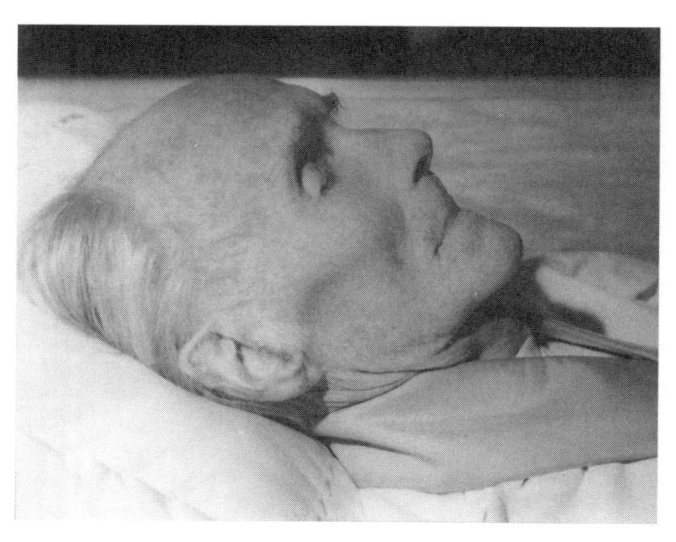

Lieber Vater,

Dein Altersbild steht auf meinem Schreibtisch, ich bin täglich im Gespräch mit ihm, und es schaut auch gern einmal einen Besucher an, es ist gesellig. Das Bild von Dir im Sarg hole ich nur bei besonderen Anlässen hervor. Es ist von der Fotografin in eine Papphülle eingeklebt, die ich öffne, ehe das Bild erscheint. Eine kleine, aber wichtige Handlung. So wie ich auch, bevor ich den Aufbahrungsraum betrete, dessen Tür zu öffnen habe.

Von der Welt, in die Du mit dem Tode eingetreten bist, hat vor allem der letzte Blick gesprochen, unmittelbar vor dem letzten Atemzug. Dieser Blick kam schon aus der nachtodlichen Welt. Und seit diesen zwei oder drei Sekunden kenne auch ich diese Welt. Und dann formtest Du aus dieser Welt heraus Dein Totenantlitz. Das war Schritt um Schritt zu verfolgen. Es begann, wie das oft der Fall ist, an den Schläfen und am Nasenrücken. Während das Antlitz des Lebenden sich von innen her der Welt zuwendet, plastiziert der Tote sein Antlitz von außen her. Er ist im Umkreis seines Leibes. Er ist im Raum, in dem er aufgebahrt liegt. Es ist eine Umwendung: Der Lebende ist in seinem Leib und die Welt ist um ihn herum. Der Tote ist im Umkreis des Leichnams – für einige Tage, in denen er sein Leben in Bildern anschaut. Der Tote ist *in* diesem Bilderpanorama, und wenn dieses sich ausweitet, tut das auch der Tote.

Dein Altersbild hat zu mir und mit mir gesprochen. Dein Totenantlitz schweigt. Wer nicht selbst still wird, kann ein Totenantlitz nicht wirklich sehen. Erst zu dem stillen Menschen kann der stille Tote sprechen. Dein Totenantlitz ist ernst, aber ohne Schwere. Im Leben habe ich immer wieder Deine hervorragende Konzentration bewundert. Wenn Du im überfüllten Wartesaal eines Bahnhofs Dein Notizbuch hervorholtest und an einem Deiner prägnanten Aufsätze über die großen Geister des Mittelalters, über die Mystiker schriebst. Über eine Welt, die Dir vertraut und die Dir gemäß war.

Die Strenge, die Dein Totenantlitz prägt, hast Du während des Lebens kaum der Welt gezeigt. Sie war nach innen gewendet. Sie war die Disziplin in Deinem Denken, in Deiner Konzentration. Es ist charakteristisch für viele Tote, dass sie offen zeigen, wer sie im Leben waren. Sichtbar für jeden, der still genug ist, um die Sprache des Totenantlitzes zu verstehen, die letzte Botschaft dessen, der gegangen ist.

Du warst mir vertraut in Deiner zweiten Lebenshälfte, in den Jahren der Reife. Aber völlig fremd ist mir die Welt geblieben, in die Du hineingeboren bist, die kleinbürgerliche Welt der zu Ende gehenden Kaiserzeit. Ich konnte mir meinen Vater als Offizier im Ersten Weltkrieg kaum vorstellen und noch weniger als den korrekten jungen Juristen mit Gehrock und Zylinder. Erst der Ernst im Totenantlitz hat mir geholfen, dieses Leben als Ganzheit zu sehen. Die Sicherheit in Denken und Lebensführung hast Du aus früheren Erdenleben mitgebracht, und die suchte ein Übungsfeld, um auch heute wirksam werden zu können. Und als solches Übungsfeld bot sich sogar die bürgerliche Welt um das Jahr 1900 an. Die Sicherheit, die später ganz verinnerlicht war, wurde im Totenantlitz wieder sichtbar. Was im Leben auseinanderklaffte, wird im Tod wieder Einheit. Diese Einheit liegt nicht in den Ereignissen, sondern im Menschen, der einen weiten Weg gegangen ist.

Es gibt Tote, die im Sarg aussehen wie im Leben, die aussehen, als ob sie nicht tot seien, sondern schliefen. Dein Totenantlitz, lieber Vater, war eindeutig das Bild Deiner Persönlichkeit und doch ganz anders als im Leben. Im Totenantlitz sind diejenigen Wesenszüge betont und hervorgehoben, die nun im nachtodlichen Dasein dieses Menschen bestimmend sein werden. Hier ist es der Ernst, der zu einer staunenden Offenheit für die himmlische Welt wird, die vor Dir liegt. Du blickst weniger zurück, sondern mehr auf das Ziel des Weges, den Du vor Dir hast. Wenn ich hineinlausche in den Gesichtsausdruck, so ist mir dessen Sprache vertraut und doch auch neu. Du sprichst anders über Dich selbst als im gewohnten Gespräch während des Lebens, und doch knüpfst Du an die vertrauten Motive an. Das Bild Deiner Persönlichkeit wird umfassender, es rundet sich jetzt ab.

Werde ich noch stiller, lausche ich noch tiefer hinein in dieses Totenantlitz, so kommt mir eine Empfindung entgegen, die ich auch bei manchen anderen recht vertrauten Toten gehabt habe: eine unerwartete Fremdheit. Nicht weil der gestreckte, regungslose Leichnam mit den gefalteten Händen im Kerzenschein ungewohnt wäre, nicht weil die Gesichtszüge anders, ganz anders aussehen können als im Leben. Es ist ein Gefühl der Fremdheit, das weniger persönlich ist und das schwer zu beschreiben ist.

Wenn ich einem Menschen im Alter begegnet bin und sehe nun ein Bild dieses Menschen aus jungen Jahren, das zunächst recht unähnlich aussieht, so kann ich meistens doch abspüren: Ja, dieses Jugendantlitz ruht verborgen doch noch heute in dem alten Menschen. Jugend und Alter zusammen bilden diese einmalige, unverwechselbare Persönlichkeit. Und der Tod? Wie dieser Mensch stirbt, wie ihm der Schritt durch die Todespforte gelingt, das gehört zum Bild der Persönlichkeit hinzu, wie die einzelnen Lebensalter. Aber zum Wesen des Menschen gehört doch immer die Tätigkeit, der verantwortliche Einsatz für seine Aufgaben. Und im Tode? Da wird der Mensch still, und er wird angeschaut. Nicht von anderen Menschen, sondern von Engeln. Wer die Stille um einen Toten empfindet, erfährt etwas von der Welt, in die der Mensch mit dem Tode eintritt. Die Welt der Engel wird oft als Gesang geschildert, als ein Lobpreis Gottes oder als die Sphärenharmonie. Doch ehe wir in diese Welt eintreten können, wird der Erden-Mensch, der wir waren, still. Aus eigener Kraft? Sicher nicht. Sondern durch die Kraft eines hohen Engels, des Engels Tod, der so zurückhaltend schweigt, dass die Lebensleistung eines Menschen in dieses Schweigen hineinblühen kann und dadurch für Engel wahrnehmbar wird. Die Kraft dieses Schweigens konnte an Deinem Sarg, lieber Vater, gespürt werden. Übermenschlich und daher zunächst fremd. Bis wir selbst durch die Stille des Todes hindurchgehen.

Nachwort

«... so bleibt die Erinnerung an das gelebte Leben.» Johannes Wolfgang Schneider gewährt uns mit seinem Buch Einblick in ganz persönliche Erfahrungen und schafft es zugleich, uns – den Jüngeren ebenso wie den alten Menschen selbst – in seiner freilassenden Art Charakteristiken des Alters näher zu bringen. Und dennoch halten wir kein «Lehrbuch über das Altwerden» in der Hand. Dafür trägt es zu deutlich seine persönliche Handschrift. Wer ihn, wie ich, im Laufe zweier Jahrzehnte kennenlernen und in den letzten Lebensmonaten intensiv begleiten durfte, nimmt nicht einfach nur das Geschriebene auf. Es ist vielmehr, als sitze man ihm gegenüber und höre ihm aufmerksam zu. So wie er selbst im Laufe seines Lebens geradezu die Kunst des Zuhörens beherrschte.

Für die Pflegenden im Hermann-Keiner-Haus war es ein Geschenk, jemandem zu begegnen, der nicht nur ihr Tun wertschätzte, sondern sie in ihrem Tun mit großer Dankbarkeit und unendlicher Geduld beglückte. So als wollte er seiner Erkenntnis Ausdruck verleihen, dass *es im Alter darauf ankommt, die Harmonie mit der Welt zu bewahren, auch wenn der Leib das erschwert.* Er kannte die Zeitnot der Pflegenden und begegnete ihr mit größter Ruhe und viel Verständnis. «Je weniger Zeit wir vor uns zu haben glauben ... desto mehr Zeit ist in uns.» Mit diesen Worten von Jean Améry macht er die Verfassung des alten Menschen für diesen selbst und für andere einsichtig.

Wahrnehmungen am eigenen Leben, vertieft durch berufliche Erfahrungen, aber auch Erfahrungen, die auf den unzähligen Reisen gemacht und verinnerlicht wurden, wechseln sich in Johannes W. Schneiders Buch wohltuend ab und machen zunehmend neugierig darauf, mehr darüber zu erfahren, warum alt zu werden nichts für Feiglinge ist und warum jede Lebensphase, besonders aber das Altwerden und Altsein Mut zu sich selbst erfordert. Dies spiegelt sich auch darin wider, wie der Autor das Verhältnis zwischen Kindern und alten Menschen beschreibt: nicht um Widersprüchlichkeiten oder Unterschiede zu benennen, sondern um Übereinstimmungen an

Erlebtem zu beschreiben. Diese persönlichen Erlebnisse machen das Buch zusätzlich lesenswert und wertvoll: man kann sich hier und da persönlich angesprochen, ja, betroffen fühlen, muss es aber nicht.

Auch diese Fähigkeit zeichnete den Autor sein Leben lang aus und machte ihn für seine Mitwelt interessant, vor allem aber «menschlich». In Erinnerung bleiben mir seine Vorträge nicht nur deshalb, weil es ihm immer wieder gelang, sein Publikum in ein staunendes Zuhören zu versetzen. Seine Beispiele aus dem praktischen Leben waren authentisch, weil er es selber gewesen ist. Sein feiner Humor, der auch in dem vorliegenden Buch nicht zu überlesen ist, verhinderte keinesfalls eine nachhaltige Nachdenklichkeit über das Gehörte. Im Gegenteil. Nicht überraschend, widmet sich der Autor ausführlich dem Beruf des Altenpflegers. Hier spiegelt sich das jahrelange Interesse für Menschen wider, die sich für diesen Beruf entscheiden und die er mit seinem Wissen, seinen Erfahrungen in der Bildung von jungen Menschen auf ihrem Ausbildungsweg begleitete, sowohl durch seine Lehrtätigkeit am Fachseminar als auch einmal jährlich am 1. November am Tag der Alterskunde. Was durch den Impuls des Autors seit 1992 bis heute an Erkenntnissen über das Altsein und Altwerden vielen Menschen zugänglich gemacht wurde, ist von unschätzbarem Wert. Auffallend für seine Zuhörer: Von Jahr zu Jahr klangen in seinen Vorträgen immer häufiger autobiografische Sequenzen durch. Hier hat jemand zu uns, aber zugleich auch zu sich gesprochen. Indem er «Ja» zu seiner zunehmenden körperlichen Gebrechlichkeit gesagt hat – die weite Reisen, zum Beispiel in sein geliebtes Asien, immer seltener zuließen –, schaffte er sich Freiraum für seine ‹Botschaften aus dem Denken› heraus. Er konnte nicht nur Alters-Weisheit beschreiben, er lebte sie vor. Das konnte er, weil er davon überzeugt war, dass man nur weise sein kann, wenn man das, was man sagt, auch selber lebt.

Wer dem Autor persönlich begegnen durfte, wird anfänglich irritiert gewesen sein über die Stille, die zu Gesprächen mit ihm dazugehörte. Sie ist nicht Ausdruck von Verlegenheit gewesen. Diese Stille trat auch ein, als er sich auf seinen Erdenabschied vorbereitete, weil er, wie er sagte, erwartet wird.

Dortmund, im Oktober 2010   Norbert Zimmering

Verlag Freies Geistesleben

Bücher für den Wandel des Menschen

falter | Wege der Seele – Bilder des Lebens

Verlag Freies Geistesleben

Bücher für den Wandel des Menschen

Verlag Freies Geistesleben

Bücher für den Wandel des Menschen

Verlag Freies Geistesleben

Bücher für den Wandel des Menschen

Verlag Freies Geistesleben

Bücher für den Wandel des Menschen

Verlag Freies Geistesleben

Bücher für den Wandel des Menschen

Verlag Freies Geistesleben

Bücher für den Wandel des Menschen

Verlag Freies Geistesleben

Bücher für den Wandel des Menschen